花とゆめCOMICS

天使禁猟区

第15巻

由貴香織里

この作品はフィクションです。実在の人物・団体・事件などにはいっさい関係ありません。

目次

我《ワ》ガ王《オウ》ヨ…
我《ワレ》ニ命令《メイレイ》ヲ…
我《ワ》ガ主《アルジ》

天《てん》使《し》禁《きん》猟《りょう》区《く》
Angel Sanctuary
至高天《しこうてん》 創造界《ベリアー》編《へん》
ACT.2 異端審判《ホーリーインキジション》

我《わ》が主《あるじ》…？
王《オウ》ノ声《コエ》ガ聞《キ》コエル…
我《ワレ》ヲ呼《ヨ》ブ声《コエ》ガ今《イマ》モ響《ヒビ》イテイル…
ソコカ…？

王《オウ》…
や…
やめろ!!
それ以上《いじょう》
動《うご》くんじゃない
こいつ…
一体《いったい》何《なん》なんだ
…!!
俺《おれ》に触《ふ》れるな
…!

!
…あんた…
生《い》きて…!?
——私《わたし》の体《からだ》は
幾多《いくた》の戦争《せんそう》で すでに
半分《はんぶん》以上《いじょう》が作《つく》り物《もの》だ
この程度《ていど》では死《し》なん

ギギ…
おい!! 平気《へいき》なのか!?
おい!!
なんで逃《に》げねーんだよ!?
先刻《サッキ》…王《ソナタ》が…動《ウゴ》クナ…ト
命《メイ》ジタ
…カラ

…そー
かい…
何《なん》だかわかんねー
けど…
よおく
わかった…!
この檻《おり》を
破壊《はかい》しろ!!
ググ…
!

やった!!
救世使《きゅうせいし》!!
!
そいつをやれ!

あいつが何者《なにもの》か
知《し》んねーけど
あいつにゃあ悪《わる》いが
……
このままバックレ
させてもらうぜ!!
!
なっ…

この傷跡《きずあと》は
まさか!?
さっきのあの
大女《おおおんな》!?
こ…これだけの
人数《にんずう》を あの女一人《おんなひとり》で
殺《や》ったのか!?
一体何《いったいなん》なんだ
あのバケモン
は――!!!
おっ…おい!!
見《み》ろ なんだ
この有様《ありさま》は――っ!?
ちきしょう
一体誰《いったいだれ》がっ…!!
まずい!!
見付《みつ》かった!
…!

うわああ!!
誰《だれ》か…誰《だれ》か
来《き》てくれ!!
向《む》こうで鉄《てつ》の
仮面《かめん》の大男《おおおとこ》が
やられてるんだ!
俺《おれ》はまだ
死《し》ぬわけにはいかない
そうだ
何《なに》!?
カマエル様《さま》が!?
待《ま》て!!
この隊《たい》で副官《ふくかん》の
カマエル殿《どの》の名《な》を
知《し》らぬ男《おとこ》が居《い》るとは
驚《おどろ》きだぜ…
顔《かお》を見《み》せろ!!
俺《おれ》は
こんな所《とこ》で

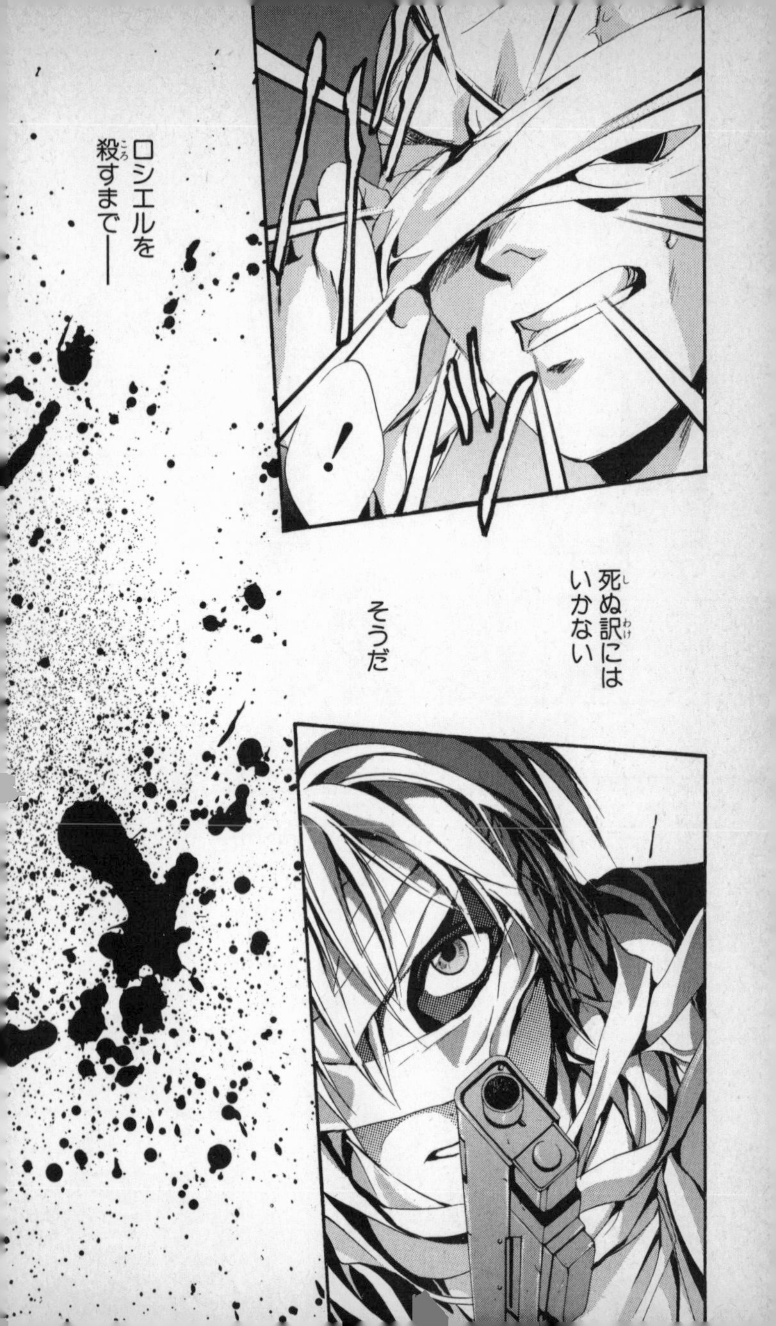
!
死《し》ぬ訳《わけ》には
いかない
そうだ
ロシエルを
殺《ころ》すまで——

本当《ほんとう》は勝《か》ったと思《おも》ってねーから
負《ま》け犬《いぬ》だって認《みと》めるのが怖《こわ》いんだろ?
うるせえ!!
あの野郎《やろう》…!

俺《おれ》は兄貴《あにき》に勝《か》ったんだ
そう思《おも》ってねぇと壊《こわ》れちまう
あん時《とき》みてぇに——
兄貴《あにき》との決戦《けっせん》の後《あと》
魔王軍《まおうぐん》は地獄《じごく》の大地《だいち》へと
退却《たいきゃく》し
俺《おれ》は天地大戦《てんちたいせん》で
一番《いちばん》の英雄《えいゆう》となったが
…
ミカエル様《さま》っ…!?
うわあぁあ
俺《おれ》は
あいつの笑顔《えがお》が
敗北感《はいぼくかん》が悪夢《あくむ》となって
俺《おれ》を襲《おそ》い
俺《おれ》は狂《くる》って…
暴走《ぼうそう》した——
近《ちか》づく者《もの》全《すべ》て
焼《や》き尽《つ》くした

ジュッ…
みんな恐《おそ》れて
俺《おれ》に近《ちか》づこうとは
しなかった
なのに

何《なに》も恐《おそ》れず ただ一人《ひとり》
真《ま》っ直《す》ぐ近付《ちか づ》いて来《き》た
パチ
バチ
気《き》を抜《ぬ》けば骨《ほね》まで 一瞬《いっしゅん》で燃《も》え尽《つ》きてしまうのに
…近《ちか》づくな
そんな態度《たいど》は おくびにも出《だ》さず
この俺《おれ》にっ…
慰《なぐさ》めも 叱咤《しった》もなく ただ・
——バカだな
ミカちゃん

やめろ…触《ふ》れるな
燃《も》えちまう…‼
制御出来《せいぎょでき》ねえんだ…!
お前《まえ》が兄《あに》の呪縛《じゅばく》から逃《のが》れなければ
お前自身《まえじしん》が勝《か》ったと思《おも》わないうちは…
俺《おれ》から離《はな》れろ…
焼《や》けてるじゃねーか‼
何度《なんど》戦《たたか》っても兄貴《あにき》には勝《か》てないんだぜ
死《し》んじまうっ…‼
みんなみんな
俺《おれ》を置《お》いて行《い》っちまう…
俺《おれ》を裏切《うらぎ》って……‼
やめろお

ジュー…!
消《き》えた…
一瞬《いっしゅん》にして…あのすごい熱気《ねっき》が…!!
ハァ
ハァ
…俺《おれ》はどこへも行《い》かないよ
ラファエル…!
さっさと焼《や》けた傷《きず》を治《なお》せ…!
誰《だれ》もルシファーを理解《りかい》出来《でき》ないし…奴《やつ》の心《こころ》には住《す》めない それがくやしけりゃもっともっと強《つよ》くなって嫌《いや》でも忘《わす》れられない様《よう》にすりゃいーさ
…まだ 始《はじ》まったばかりなんだから

いいから早《はや》く
その顔《ツラ》を治《なお》せ!!
見苦《みぐる》しいんだよ!!
──その前《まえ》に
火《ひ》ィ貸《か》してくんない?
ラファエル…
……
変《へん》な奴《やつ》だぜ…!
──そうだ…
俺《おれ》の…この救世使《きゅうせいし》に対《たい》する
怒《いか》りの正体《しょうたい》…!!
俺《おれ》にはわからねぇんだ…!
天界《てんかい》でも最高位《さいこうい》に
あった兄貴《あにき》が何故《なぜ》
創世神《そうせいしん》を裏切《うらぎ》り
俺《おれ》を裏切《うらぎ》った
のか…!!!

今《いま》まで誰《だれ》も奴《やつ》の中《なか》には留《とど》まれなかったのに…
人間《にんげん》の体《からだ》とはいえ何故《なぜ》 あの救世使《きゅうせいし》の側《そば》にいたのか…!?
あの救世使《きゅうせいし》と兄貴《あにき》の間《あいだ》に何《なに》が…
頭《ヘッド》!!
例《れい》の片翼《かたよく》の天使《てんし》が脱走《だっそう》を計《はか》りただ今《いま》基地内《きちない》で応戦中《おうせんちゅう》です
ミカエル様《さま》!!

万物《ばんぶつ》——
生《い》きとし生《い》ける
全《すべ》ての生命《せいめい》…
全《すべ》ての物質《ぶっしつ》
あらゆる物《もの》が
その刹那《せつな》　動《うご》きを
止《と》め…
死《し》んだ様《よう》に静《しず》まり返《かえ》る
その切《き》り取《と》られた
モノクロームの空間《くうかん》…
その瞬間《しゅんかん》の
中心《ちゅうしん》となつた場所《ばしょ》…
者達《ものたち》よ

その少女《しょうじょ》…
ガサ
数日前《すうじつまえ》
宰相《さいしょう》の元《もと》より
届《とど》けられた
密書《みっしょ》と小《ちい》さな
包《つつ》み…
姿《すがた》を消《け》した
バービエルの…

髪《かみ》の入《はい》った…
ラフィー君《くん》
「よく聞《き》くがいい ラファエルよ」
髪《かみ》…思《おも》いっきり 切《き》ったんだな
久《ひさ》しぶりだね
かけて！ …よく裁判前《さいばんまえ》に ここに入《はい》れたね… さすが四大天使《エレメンツ》の ラファエル様《さま》

よいな 人質《ひとじち》の命《いのち》が 惜《お》しくば裁判前《さいばんまえ》に ジブリールにこれを 飲《の》ませるのだ
診察《しんさつ》だ
裁判前《さいばんまえ》の 健康診断《けんこうしんだん》に来《き》た
――なに 何時間《なんじかん》かの間《あいだ》 貝《かい》の様《よう》に無口《むくち》になる だけだ――
なんだ お仕事《しごと》か
そうね 前《まえ》にも 迷惑《めいわく》かけてるし ラフィー君《くん》が私《わたし》の事《こと》 気《き》にかけてくれる 訳《わけ》ないもんね
手《て》ぇ出《だ》して
――心外《しんがい》だな 俺《おれ》は そんなに冷《つめ》たく 見《み》えるか？
他《ほか》の女《おんな》の人《ひと》には 知《し》らないけど 初対面《しょたいめん》の時《とき》は 割《わり》と いじわるだったよ
…そういえば そうだ
いくら相手《あいて》が お固《かた》くて性《しょう》の合《あ》わん ジブリールでも 同《おな》じ四大元素《エレメンツ》の仲間《なかま》 天使《てんし》の中《なか》では異質《いしつ》な 位置《いち》にいる俺達《おれたち》…
他《ほか》の天使《てんし》とは違《ちが》う 繋《つな》がりをもって昔《むかし》から 親《した》しみはあった はずだ

ついに来てしまいましたよ! 1999年7月(これ書いてる現在は)このコミックスは8月刊だからぁ…8月にハルマゲドンって説もあるからこれが出てたなら地球は無事!って訳にゃあいかないか?でもカンケーあるかいっ! 何か知らんけど絶対に大丈夫。つーか、ダメな時の事考えて行動したってしょーもないし。何かがんばれば何とかなるならやるけどね。だーって、これからの予定もつまってて体壊さない様にするので精一杯っすよ。わたしゃ、カンケーないけど今、ダイエット中なのでひもじいです。もう3ヶ月目。毎日毎日カロリー計算。でも7kgぐらい減ったのよ。
でも太いのであまりわかんないかも…

ああ見《み》えても
バービエルは責任感《せきにんかん》の
強《つよ》い軍人女性《ぐんじんじょせい》だ
ありがとう
ラフィー君《くん》
嬉《うれ》しい…
もし手足《てあし》の自由《じゆう》のきく
拘束状態《こうそくじょうたい》ならば
自害《じがい》する恐《おそ》れもある
一流《いちりゅう》の天使《てんし》ならば
上官《じょうかん》の任務《にんむ》の
妨《さまた》げになる事《こと》を
屈辱《くつじょく》とし
それを避《さ》ける
ためならば命《いのち》も
捨《す》てる
そういう
教育《きょういく》を受《う》けて
きた
——だから
急《いそ》がねば
ならない——
急《いそ》がねば
！

…ご ごめんね…
あた…あたし
ここんとこ ずっと
色々《いろいろ》あって…
気《き》ばっかりはってたから…
優《やさ》しくされて
気《き》ィ…緩《ゆる》んじゃった
みた…い…
やだなぁ
もお…
ラフィー君《くん》に
ずーずーしいついでに
お願《ねが》いがあるの！
私《わたし》の…裁判《さいばん》が
終《お》わって…もし
私《わたし》が有罪《ゆうざい》に
なっちゃったら…
私付《わたしつ》きのあの
リルって女《おんな》の子《こ》を
ひき取《と》ってほしいの
…
あ 手《て》は出《だ》さ
ないでね！
お願《ねが》い…
今《いま》 ラフィー君《くん》しか
頼《たの》める人《ひと》がいないの…
…わかった
何《なに》も心配《しんぱい》するな
ガタン

ラフィー君《くん》!
…ありがとう
初《はじ》めて会《あ》った時《とき》…女《おんな》ったらしの嫌《いや》な奴《やつ》とか…思《おも》ったけど結局《けっきょく》はいつも私《わたし》を助《たす》けてくれたよね
あのな!
なりゆきだ
俺《おれ》は気《き》まぐれな男《おとこ》だからな別《べつ》に君《きみ》の為《ため》を思《おも》って行動《こうどう》してる訳《わけ》じゃない
…ばかな女《おんな》だ
今《いま》来《き》たのだって仕事《しごと》だからだ
…でもいい人《ひと》だよ
感情表現《かんじょうひょうげん》が乏《とぼ》しいだけで…本当《ほんとう》はシャイで優《やさ》しい人《ひと》だよね

そういう所《とこ》を
女《おんな》の人《ひと》にもっと
見《み》せたらいいのに
歯《は》の浮《う》く様《よう》な
セリフより
よっぽど利《き》くし…
もったいないよ
カッ
カッ
カッ
カッーー
よくやったぞ
ラファエルよ

これで彼女《かのじょ》の極刑《きょっけい》は決《き》まったも同然《どうぜん》…
水《みず》の元素《げんそ》の力《ちから》は私《わたし》の支配下《しはいか》におかれるであろう
さあ 始《はじ》まるぞ 歴史《れきし》に残《のこ》る名裁判《めいさいばん》が…
大々的《だいだいてき》に知《し》らしめて救世使《きゅうせいし》が現《あらわ》れてもいい様《よう》に警備《けいび》の網《あみ》を張《は》り巡《めぐ》らせてある
楽《たの》しみだな
ジブリール… そして救世使《きゅうせいし》よ

天《てん》使《し》禁《きん》猟《りょう》区《く》
Angel Sanctuary

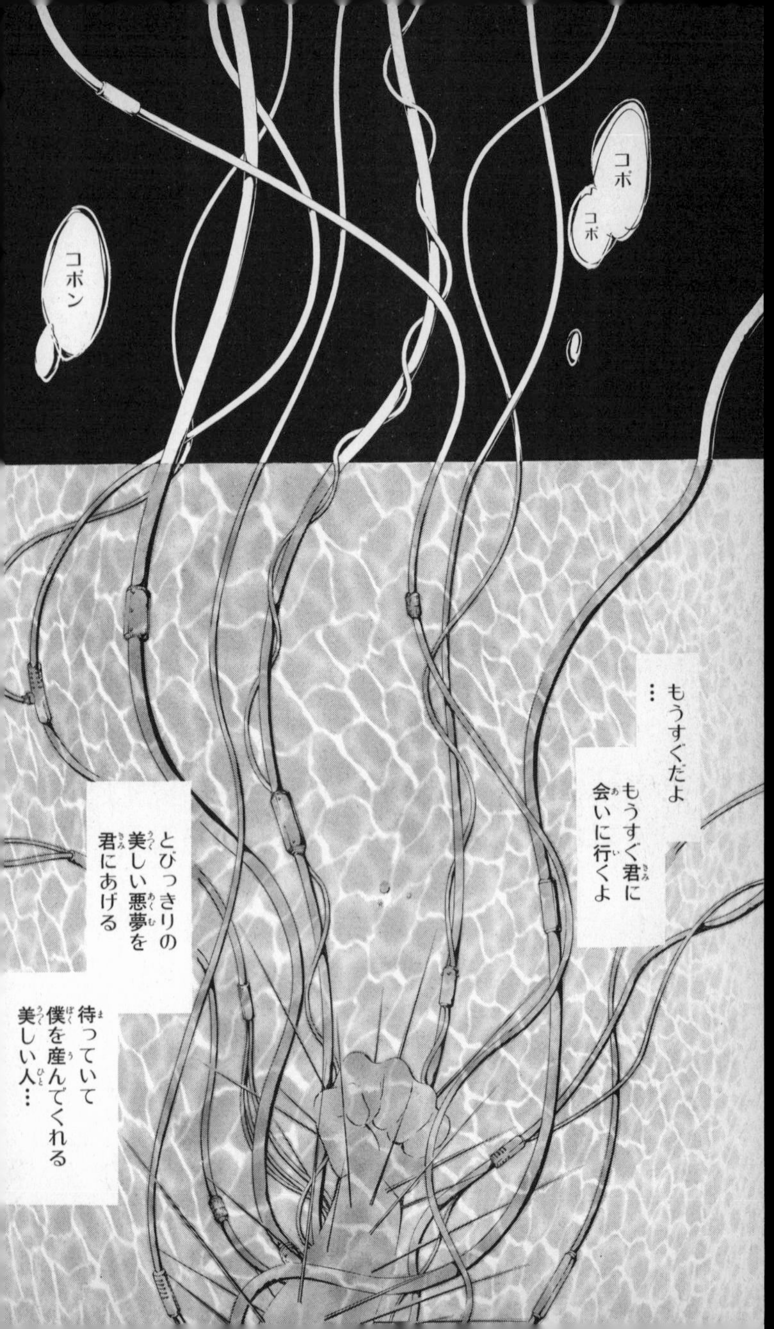
コポ
コポ
コポン
もうすぐだよ…
もうすぐ君《きみ》に
会《あ》いに行《い》くよ
とびっきりの
美《うつく》しい悪《あく》夢《む》を
君《きみ》にあげる
待《ま》っていて
僕《ぼく》を産《う》んでくれる
美《うつく》しい人《ひと》…

……ふふん
あいつか…
…ハジマルノカ…
…さて 僕《ぼく》もそろそろ 行《い》くよ——
おとなしく 待《ま》っておいでよ?
タノシソウダナ
——こんな おもしろい物《もの》 この目《め》で 見《み》なくてどうするのさ
何世紀《なんせいき》に一度《いちど》 あるかないかの 上級天使公開裁判《じょうきゅうてんしこうかいさいばん》 だからね
しかも 相手《あいて》は四大元素《エレメンツ》 水《みず》のジブリール だからね

もうすぐ赤《あか》ん坊《ぼう》の起《お》きる時間《じかん》だ
ホラ お前《まえ》にも聞《き》こえているだろ?
あれは揺《ゆ》り籠《かご》の中《なか》から出《だ》してくれってハリネズミが鳴《な》いてる声《こえ》だよ…
「痛《いた》いよ 針《はり》が痛《いた》いよ」っ…
…てね
——これが
お前《まえ》の副官《ふくかん》 バービエルの一番最近《いちばんさいきん》——6時間前《じかんまえ》の映像《えいぞう》だ

バービエル…
あの指輪《ゆびわ》は…！
今《いま》のところは彼女《かのじょ》は無事《ぶじ》だ
彼女《かのじょ》を解放《かいほう》する約束《やくそく》は…！
期間《きかん》はこの裁判《さいばん》が無事《ぶじ》終《お》わるまでだ お前《まえ》には新《あら》たな任務《にんむ》がある
すぐその足《あし》で第三天《だいさんてん》シャハキムへ赴《おもむ》け
裁判中《さいばんちゅう》に余計《よけい》な邪魔《じゃま》が入《はい》らぬ様《よう》にミカエルの隊《たい》と合流《ごうりゅう》し 地獄《じごく》との国境《こっきょう》を悪魔供《あくまども》の侵略《しんりゃく》から防《ふせ》ぐのだ
——任務《にんむ》に背《そむ》けば叛逆罪《はんぎゃくざい》で私《わたし》の手《て》も後《うし》ろに回《まわ》る——という訳《わけ》ですか！
私《わたし》を裁判《さいばん》から遠《とお》ざけようとの念《ねん》の入《はい》ったやり口《くち》…恐《おそ》れ入《い》りますよ

最高《さいこう》の賛辞《さんじ》だな――
お前《まえ》には白《しろ》い制服《せいふく》を監視《かんし》につける怪《あや》しい動《うご》きをするでないぞ
ラファエル殿《どの》参《まい》りましょう
カツ
カーン
カーン

…バカだな ジブリール…
ラファエル力天使長！
いや 紗羅《さら》ちゃん
自分《じぶん》でも言《い》ってた じゃないか 俺《おれ》は女《おんな》を突放《つきはな》して おもちゃにしてる 卑怯《ひきょう》な男《おとこ》だって
その通《とお》りだよ 本当《ほんとう》の事《こと》だ
たいしたもんだよ 紗羅《さら》ちゃん
なのに何故《なぜ》 こんな俺《おれ》を 信《しん》じてしまったのか …それは君《きみ》のミスだよ
ここでお別《わか》れだよ
やがて君《きみ》は消《け》されて しまうから
…わかってるよ
バイバイ 紗羅《さら》ちゃん…

どくん!

ドクン
あたし
本当《ほんとう》は
あたし
ドクン

怖《こわ》いの…刹那《せつな》…!!
ハァハァハァ!

くそぉ…次《つぎ》から次《つぎ》へと…!!
このままじゃ時間《じかん》の問題《もんだい》だ! 力《ちから》は今《いま》使《つか》えないし…

うわぁ!!
な…なんだ この女《おんな》ぁ…
くそぉお!! やっちまえ!
待《ま》て!!

その女《おんな》に手《て》を出《だ》すな!! お前達《まえたち》の敵《かな》う相手《あいて》ではない!
カ…カマエル様《さま》!?
生《い》きてるじゃん あのターミネーター…!
殺せって ゆったのに…
遙《ハル》カ昔《ムカシ》ヨリ我《ワレ》ニ刷《ス》リ込《コ》マレタ 命令《メイレイ》…存在理由《ソンザイリユウ》ハ ソナタヲ…アレクシエルヲ 護《マモ》ル事《コト》…
我《ワレ》ノ第一《ダイイチ》ノ目的《モクテキ》… オ前《マエ》ヲ護《マモ》ルタメニ存《ア》ル ダカラ ココニ来《キ》タ…

例《タト》エ…彼《カレ》ガコノ
小《チイ》サナ赤《アカ》イ鉱石《コウセキ》ノ
破片《カケラ》トナロウトモ
…
七支刀《ナナツサヤ》の
破片《かけら》に
…!?
ソレガ
長《ナガ》キ時《トキ》 彼《カレ》ト共《トモ》ニ
生《イ》キテキタ我《ワレ》ニ残《ノコ》サレタ
唯一《ユイイツ》ノ記憶《キオク》…
例《タト》エ彼《カレ》ノ魂《タマシイ》ガ
我《ワレ》ノ体《カラダ》カラ
離《ハナ》レヨウトモ…ソノ
思《オモ》イハ コノ細胞《サイボウ》一《ヒト》ツ
一ツニ刻《キザ》マレテイル

お前《まえ》…
七支刀《ナナツサヤ》…!?
剣《つるぎ》…!!
女《おんな》が…剣《つるぎ》の形《かたち》に…!!?
天《てん》に封《ふう》じられた魔《ま》の神剣《しんけん》七支刀《ナナツサヤ》は地球上《ちきゅうじょう》にはない第五番目《だいごばんめ》の元素《げんそ》エーテルを合成《ごうせい》した超自然物質《ちょうしぜんぶっしつ》 この世《よ》で最《もっと》も固《かた》く 知能《ちのう》を持《も》つ鉱石《こうせき》で作《つく》った無二《むに》の剣《つるぎ》に
脅威的《きょういてき》な生命力《せいめいりょく》を持《も》つ凶悪《きょうあく》なる ある堕天使《だてんし》の魂《たましい》を移植《いしょく》したシロモノだ
俺《おれ》の炎《ほのお》の剣《つるぎ》と並《なら》ぶと噂《うわさ》に聞《き》いたソレがまさか…

かつての
俺《おれ》の兄《あに》 魔王《まおう》ルシファーの
魂《たましい》を封《ふう》じ込《こ》めてあったとは
…驚《おどろ》きだがな
――救世使《きゅうせいし》を残《のこ》し
一人《ひとり》残《のこ》らずこの場《ば》から
失《う》せろ
ジャマだ
は…
はい!

…その剣《つるぎ》は 魔王《まおう》ルシファー
だった男《おとこ》の魂《たましい》がなくなった後《あと》も
必死《ひっし》で奴《やつ》の思《おも》いだけを残《のこ》し
お前《まえ》を護《まも》るだけに存在《そんざい》している
七支刀《ナナツサヤ》の抜殻《ぬけがら》ってトコかね…
だがこれからは
奴《やつ》の精神力《せいしんりょく》はもう
使《つか》えない
お前自身《まえじしん》がそれを
制御《せいぎょ》し 同化《どうか》すれば
今《いま》まで以上《いじょう》の力《ちから》を
発動《はつどう》させる事《こと》も
可能《かのう》だ
お前《まえ》が兄貴《あにき》以上《いじょう》の
逸材《いつざい》だったらの
話《はなし》だがなぁ…
くっ
くっ
くっ…
まったく
お笑《わら》いだぜ…
兄貴《あにき》の奴《やつ》
…!
天界中《てんかいじゅう》を震《ふる》え上《あ》がらせた
あの大叛乱《だいはんらん》の首謀者《しゅぼうしゃ》…
最大《さいだい》の裏切者《うらぎりもの》
悪《あく》の根元《こんげん》となった
あの男《おとこ》が…!!
アレクシエル如《ごと》き
女一人《おんなひとり》に心《こころ》
奪《うば》われて…
何《なに》があったか知《し》らねぇが
剣《けん》の姿《すがた》なんぞになり下《さ》がり
死《し》の瞬間《しゅんかん》まで そいつを
護《まも》ろうとしてたなんざ…!!

どうしたって納得出来《なっとくでき》ねぇんだよォ
俺《おれ》はァ!!
それは
お前《まえ》が兄貴《あにき》を誰《だれ》よりも好《す》きだからだろ?

ガキーン
ガッ
命《いのち》懸《が》けで俺《おれ》を護《まも》ると言《い》った剣《こいつ》が何《なん》の反応《はんのう》も示《しめ》さなかったぜ
今《いま》の お前《まえ》には殺気《さっき》が全《まった》くない

お前《まえ》が以前《いぜん》地上《ちじょう》で俺《おれ》に教《おし》えてくれた事《こと》だったな
戦場《せんじょう》では殺《や》らなかったら殺《や》られちまうって
今《いま》のお前《まえ》はどうなんだ?
認《みと》めろよ
畜生《ちくしょう》…!!
…くそう…
あいつ…勝《か》ち逃《に》げしやがって…!!
畜生《ちくしょう》…!!!

……
俺《おれ》も…好《す》きだった…
憧《あこが》れてたよ…
あの人《ひと》に
だから俺《おれ》も もし あの人《ひと》に突然《とつぜん》裏切《うらぎ》られたら…
…きっとやり切《き》れねー程《ほど》悲《かな》しくて…憎《にく》むかもしれない
今《いま》のお前《まえ》みたいに…認《みと》める事《こと》さえ出来《でき》ずに
ただ…あの人《ひと》に心《こころ》を許《ゆる》した事《こと》を悔《く》やみ…怒《おこ》って…
愛情《おもい》が深《ふか》かった分《ぶん》だけ…きっと殺《ころ》したい程《ほど》あの人《ひと》を憎《にく》んだろう

やり場《ば》のない悲《かな》しみと憤《いきどお》りを何処《どこ》へ吐《は》き出《だ》したらいいかわからない…!!
俺《おれ》は…
兄貴《あにき》が好《す》きだつたつて…?
惹《ひ》かれていた分《ぶん》だけ許《ゆる》せなかつた…?
憎《にく》んでいた
天界《てんかい》を裏切《うらぎ》り俺《おれ》を裏切《うらぎ》つた兄貴《あにき》
そして何事《なにごと》もなかつたかの様《よう》にアレクシエルや…この救世使《きゅうせいし》に力《ちから》を貸《か》していた事《こと》が…
だから俺《おれ》は子供《こども》じみた嫉妬《しっと》をこの男《おとこ》に抱《いだ》いていたと…
くそぉ…!
そう言《い》うのかよ

俺《おれ》が子供《こども》の姿《すがた》を
しているのはそのせい
だったのか

兄貴《あにき》に認《みと》めて
欲《ほ》しい心《こころ》が

俺《おれ》がここにいると
知《し》ってほしいと

甘《あま》えた心《こころ》が
俺《おれ》の成長《せいちょう》を
止《と》めていたんだ

カーーン!
カーーン
…な…なんだ この腹《はら》に響《ひび》く様《よう》な 重《おも》い鐘《かね》の音《おと》は…!!
…裁判《さいばん》が始《はじ》まる…!
カーーン
水《みず》の天使《てんし》ジブリールに 掛《か》けられた嫌疑《けんぎ》… 救世使《きゅうせいし》との不義《ふぎ》の関係《かんけい》に ついて糾弾《きゅうだん》される
前代未聞《ぜんだいみもん》の 公開天上裁判《こうかいてんじょうさいばん》を 知《し》らせる鐘《かね》の音《おと》だ
その様子《ようす》は総《すべ》ての 階級《かいきゅう》の天使達《てんしたち》に全国規模《ぜんこくきぼ》で 流《なが》される

紗羅《さら》の裁判《さいばん》が始《はじ》まるっ…!!?
裁判《さいばん》は何処《どこ》で行《おこな》われるんだ!?
教《おし》えてくれミカエル!!
殺《ころ》されに行《い》くつもりかよ
セヴィーが手《て》ぐすねひいて待《ま》ってるぜ
頼《たの》む!!
絶対《ぜったい》に殺《ころ》されるぞ…
いいんだな……

我ながら気の長～～～い
伏線の張り方してるなぁ。
この聖巫女《シスター》はずーっと前
にも1、2回顔出してます。
この人が怪しい。という人も
いましたねぇ。後に出て来
る白い制服さんは、あ
の、セヴィーと刹那が会った
時、ザフィケル氏を撃った
人。額のマークはリルと同
じ杭打ちのしるしなんだ
けどタイプが違うので
形がちと違う…。このP
の聖巫女《シスター》や上級シスター
はリボンの下に隠れる
所に小さく(?)あるらしい。
そーいやメタトロンを好き
という人って割といらっしゃ
るんですね。出番が増え
て来たからだろうか。

ジブリールの裁判《さいばん》…
ライラの奴《やつ》…必死《ひっし》になっているなこの僕《ぼく》の事《こと》も見逃《みのが》す程《ほど》に…
メタトロンの好《す》きなジブリールか…
メタトロン様《さま》!? 何《なに》か今《いま》おっしゃって…
!
ドサッ
メ…
メタトロン様《さま》!?

誰《だれ》か！ 誰《だれ》か!!
メタトロン様《さま》がぁ…
あっ…親衛隊《しんえいたい》の方《かた》
メタトロン様《さま》を
お願《ねが》いします！
私《わたし》 ドクターを…
…わかった
息《いき》をして
いない…！
パサ
…メタトロン様《さま》
…？

哀《あわ》れな人形《にんぎょう》…
お前《まえ》の様《よう》に元《もと》は罪人《ざいにん》だった天使《てんし》がその戦闘能力《せんとうのうりょく》だけを買《か》われ ただ命令《めいれい》のみをきく 感情《かんじょう》を取《と》り去《さ》られた者《もの》や…
ブチッ
不平不満《ふへいふまん》を言《い》わぬ聖巫女達《シスターたち》…
お前達《まえたち》は見《み》るも無惨《むざん》な杭打ち《ステイカー》達《たち》…
…？
…なんだと…？
！

例・・・の客人は何《なに》を騒《さわ》いでいたんだ？
はっ…後《うし》ろ手《て》に嵌《は》めた手枷《てかせ》がきつすぎると言《い》ってうるさいので前方《ぜんぽう》に…警備《けいび》は万全《ばんぜん》ですので心配《しんぱい》は無用《むよう》です
舌《した》を噛《か》み切《き》らぬ様《よう》口《くち》の中《なか》に器具《きぐ》を入《い》れてありますし
部屋《へや》の中《なか》ではアストラル力《パワー》を封《ふう》じています
行動《こうどう》は四六時中《しろくじちゅう》監視《かんし》カメラで捕《とら》えています

メタトロン様《さま》!!
ただ今《いま》
ドクターを
お呼《よ》びしましたよ
バタバタ
メタトロンっ…

天《てん》使《し》禁《きん》猟《りょう》区《く》
Angel Sanctuary

メタトロン様《さま》っ…!?

ジブリールの裁判《さいばん》が行《おこな》われる場所《ばしょ》を聞《き》いて どうしようっていうんだ
わざわざ自分《じぶん》からセヴォフタルタの手《て》の中《なか》に落《お》ちに行《い》くつもりかよ

頼《たの》む!!
教《おし》えてくれ
ミカエルっ…!
何《なん》だ…
なっ…!?
目《め》が…!!
言《い》わんこっちゃねぇ
その目《め》もロシエルにやられたんだろ?
お前《まえ》を手当《てあて》させた奴《やつ》に聞《き》いたけど
普通《ふつう》じゃないらしいぜ そのやられ方《かた》

それも こんなトコじゃなく ちゃんとした病院《びょういん》で 早急《そうきゅう》に手術《しゅじゅつ》して 毒《どく》を吸《す》い出《だ》さねぇと
失明《しつめい》するかも しれねーってよ
失明《しつめい》…!?
そんな… この上《うえ》 右目《みぎめ》 まで…!!?
それでも行《い》くか? ジブリールの所《ところ》に… 自分《じぶん》の目《め》の一《いっ》コ ぐらい女《おんな》のためなら 惜《お》しくねぇってか
教《おし》えてくれ …

…お前達《まえたち》
頼《たの》む…
怖《こ》えな…
お願《ねが》い
私《わたし》も地上《ちじょう》へ… 救世使《きゅうせいし》の所《ところ》へ 連《つ》れて行《い》って!!
そーゆートコ そっくりだぜ…
え?
…この上《うえ》だ
この上《うえ》のプレート 第四天《だいよんてん》マコノムの中心部《ちゅうしんぶ》にある 天界最大《てんかいさいだい》の裁判所《さいばんしょ》
裁《さば》きの城《しろ》だ
だが どうやって 行《い》く気《き》だ? また門《ゲート》でも突破《とっぱ》 するつもりなら ムダだぜ
今《いま》の警備《けいび》は 前《まえ》の比《ひ》じゃなく 強化《きょうか》されてる

この後の裁判編のセヴィーは、なんと初めて着替えてます。あんま似合ってへんけど。つってもいつも同じ服をセヴィーが着てるんじゃなくて、同じデザインのコート(?)を着てるってだけなんだけれども。いつも体のラインがわかんない様なのをダブっと着てごまかしているんだな。この裁判編はセヴィー嫌われ度がもう最高潮でしたわな。前半は、セヴィーやラフィー君、サラとか、いろいろ反響高かったんですわ、この辺は…あと、出てないから九雷や加藤は、どうした、ってな意見や…。でも吉良へのラブコールがすごかったっす
怖かったっす。

たとえ無謀《むぼう》な
賭《かけ》であろうとも…
カーン
カーン
…ですから…
なっ…!
身分《みぶん》を証明《しょうめい》出来《でき》ない方《かた》の入場《にゅうじょう》は規則《きそく》で禁《きん》じられているのです!
カツ
カツカツ
あ!
お待《ま》ち下《くだ》さい!!

…でなければ規則《きそく》通《どお》り逮捕《たいほ》します！
待《ま》て！
…失礼そちらは僕《ぼく》の知《し》り合《あ》いかと思《おも》うんだけど…
ちょっといい？
こ…これはロシエル様《さま》!?
…へぇ

やっぱり君《きみ》だ！
何《なん》て事《こと》だろう！君《きみ》がわざわざ来《き》てくれるなんて…やっぱり この裁判《さいばん》は一見《いっけん》の価値《かち》があるようだね！
さあ 早《はや》く入《はい》って！
いいよね 僕《ぼく》の旧友《きゅうゆう》だ身元《みもと》は保証《ほしょう》するよ
は…それはもう…
ロシエル様《さま》のお知《し》り合《あ》いならば…
ふふ
何《なん》のマネだって顔《かお》だね？
僕《ぼく》はおもしろければそれでいいのさ

今《いま》 僕《ぼく》と争《あらそ》うのは得策《とくさく》じゃないのはわかるだろ？
この場《ば》で何《なん》とでも言《い》って 奴《やつ》らに引《ひ》き渡《わた》す事《こと》だって出来《でき》るんだから
ふふ…楽《たの》しみだねホント
ワクワクするよ
じゃあね
また後で…
……
──前代未聞《ぜんだいみもん》だ…この裁判《さいばん》は！

四大天使《よんだいてんし》が裁《さば》かれると いうだけでもすごい事《こと》 だが——
さらに上級裁判《じょうきゅうさいばん》には 御前天使《ごぜんてんし》の全員出席《ぜんいんしゅっせき》が 決《き》まりなのにミカエル様《さま》は さる事《こと》ながら ラファエル様《さま》 までが任務《にんむ》で欠席《けっせき》とは…!
これ程《ほど》 高名《こうめい》で… しかも同《おな》じ四大元素《エレメンツ》の 守護天使《ガーディアンエンジェル》の裁判《さいばん》だと いうのに!!
裁《さば》きの天使《てんし》として上級裁判《じょうきゅうさいばん》を 取仕切《とりしき》っていた土《つち》の天使《てんし》 ウリエル様《さま》は行方不明《ゆくえふめい》と なって久《ひさ》しいし…
今回《こんかい》も最高会《さいこうかい》に 任命《にんめい》された裁判長《さいばんちょう》が 選《えら》ばれたはずだが 誰《だれ》か聞《き》いているか?
確《たし》か黄道十二宮《こうどうじゅうにきゅう》の 天秤宮《てんびんきゅう》ズリエル様《さま》だ
黄道十二宮天使《こうどうじゅうにきゅうてんし》は 古《ふる》き使《つか》いとして 四大天使《よんだいてんし》には 温情《おんじょう》ある判決《はんけつ》をして 下《くだ》さるだろう
そうあって ほしいが…
ドキン
大丈夫《だいじょうぶ》
ドキン
大丈夫《だいじょうぶ》よ 静《しず》まって私《わたし》の心臓《しんぞう》 ここは公《おおやけ》の場《ば》だもの
セヴィーだって ここでは 卑怯《ひきょう》なマネは出来《でき》や しない

私《わたし》は私《わたし》の言葉《ことば》で神様《かみさま》とみんなに
伝《つた》えればいい——それだけで——
静粛《せいしゅく》に開廷《かいてい》する!

裁判長《さいばんちょう》ズリエル
急病《きゅうびょう》の為《ため》 欠席《けっせき》
急遽《きゅうきょ》 熾天使《セラフィム》最高会長《さいこうかいちょう》の
権限《けんげん》で宰相《さいしょう》セヴォフタルタが
裁判長《さいばんちょう》を代行《だいこう》する
ザワッ
なっ…!?

あははは
おもしろい!!
彼《かれ》に こんなユーモアのセンスがあったなんて!
これが墓穴《ぼけつ》にならなきゃいいけど
くす くす
な? 来《き》てよかっただろ? カタン
な…なんという事《こと》だ 宰相自《さいしょうみずか》らが裁判長《さいばんちょう》にだと…!?
これでジブリール様《さま》のお命《いのち》は宰相《さいしょう》に握《にぎ》られたも同《おな》じじゃないか
セヴィー…あの人《ひと》…!!!
どうあっても私《わたし》を有罪《ゆうざい》にする気《き》なんだ…!!

ドクン
被告人《ひこくにん》四大元素《エレメンツ》
水《みず》の天使《てんし》ジブリールよ
聖《せい》なる書物《しょもつ》の
上《うえ》に手《て》を置《お》き
だ…
大丈夫《だいじょうぶ》…
ドク
大丈夫《だいじょうぶ》よ紗羅《さら》…!!
神《かみ》の御名《みな》において
真実《しんじつ》のみを述《の》べる
事《こと》を誓《ちか》いなさい
ドクン
ドキン
落《お》ち着《つ》いて
大丈夫《だいじょうぶ》よ
怖《こわ》くなんか
ないわ
私《わたし》…私《わたし》は
…
ゴホッ
!
…いかがされた?
ジブリール様《さま》…

…い いえ… 大丈夫《だいじょうぶ》…
どうしたんだろう …喉《のど》が…喉《のど》が 熱《あつ》くて…
声《こえ》が…変《へん》…？
ゴホ…
です…
神《かみ》の…神《かみ》の御名《みな》に おいて…私《わたし》 ジブリールは …真実《しんじつ》のみを 答《こた》える事《こと》を
誓《ちか》います…
喉《のど》が…痛《いた》い …!!
喉《のど》が…
熱《あつ》い…!!!
―― よって…被告《ひこく》ジブリールは 自《みずか》ら志願《しがん》して地上《ちじょう》に 人間《にんげん》として転生《てんせい》し 無道刹那《むどうせつな》――即《すなわ》ち アレクシエルの魂《たましい》をもつ 少年《しょうねん》の妹《いもうと》となり
彼《かれ》の守護天使《ガーディアンエンジェル》と なった
何故《なぜ》 自分《じぶん》から その四大天使《よんだいてんし》の位《くらい》を捨《す》て アレクシエルの魂《たましい》の近《ちか》くに 行《い》く事《こと》を希望《きぼう》したのですか？

自《みずか》ら志願《しがん》…!!?
何《なに》を言《い》っているの…!?
天地大戦前《てんちだいせんまえ》貴女《あなた》は常《つね》から有機天使《ゆうきてんし》アレクシエルの思想《しそう》に同調《どうちょう》し
事《こと》ある毎《ごと》に熾天使《セラフィム》最高会《さいこうかい》に意見《いけん》してきた
そして幾度《いくたび》も下級天使《かきゅうてんし》の元《もと》へ降《お》りその思想《しそう》を説《と》いて回《まわ》った
だから同志《どうし》アレクシエルに同情《どうじょう》し自《みずか》らの意志《いし》でもって無道刹那《むどうせつな》の監視人《かんしにん》を買《か》って出《で》たのですね?
そんな…
ち…
私《わたし》はセヴィーにムリヤリ…!
ちが…

!
声《こえ》が…!!!
出《で》ない…!!?
そして…無道《むどう》刹那《せつな》の妹《いもと》 無道《むどう》紗羅《さら》として 地上《ちじょう》で転生《てんせい》してから
な…
貴女《あなた》は自《みずか》ら 傾倒《けいとう》していた 同志《どうし》の魂に惹《ひ》かれ
何故《なぜ》…!?
人間《にんげん》としては 実《じつ》の血《ち》の繋《つな》がった 兄妹《きょうだい》でありながら
あろう事《こと》か 無道《むどう》刹那《せつな》に 惹《ひ》かれていった
ざわ ざわ
こんな…こんな 大事《だいじ》な時《とき》になんで…!!?
喉《のど》が熱《あつ》くて 痛《いた》い…!!?
だって体《からだ》だって異常《いじょう》 なかったし…第一《だいいち》 ラフィー君《くん》が健康診断《けんこうしんだん》を…

…あの薬《くすり》
まさか…ラフィー君《くん》のあの薬《くすり》が…!?
ジブリール様《さま》以上《いじょう》の上告《じょうこく》に異議《いぎ》がおありなら何《なに》かおっしゃって下《くだ》さい
これは最後《さいご》のチャンス反論するならば今しかないのですよ
あ…
まさか…
そんな…
ああ…

さぁ!!
お答《こた》え下《くだ》さい
ジブリール様《さま》!!

ハァ
ハァ
ハァ
うっ!!
ちくしょう…!!!
羽《はね》がないから傷《きず》は
治《なお》らねーし
アストラル力《パワー》ももちろん
使《つか》えねぇ…!!
目《め》は痛《いた》むし
羽《はね》の切《き》られたとこも
出血《しゅっけつ》し出《だ》した…!!
いつもの半分《はんぶん》の体力《たいりょく》も

こんな事《こと》じゃ…
紗羅《さら》を助《たす》け出《だ》すなんて出来《でき》ねえぞ…!!
そしてロシエルを…!!!
ロシエルを殺《ころ》すなんて…!!
!
なんだこいつら!?
悪魔《ディーモン》!!?
そうだ…!! ミカエルが確《たし》か地獄《じごく》が至高天《しこうてん》と衝突《しょうとつ》したって…

それでも俺《おれ》の
兄貴《あにき》の認《みと》めた男《おとこ》かよ
ジジ…
ケッ
見《み》ちゃ
いられねぇな

この辺《へん》は先《さき》の地殻変動《ちかくへんどう》で自由自在《じゆうじざい》に国境越《こっきょうご》えした悪魔供《あくまども》が天使狩《てんしが》りに来やがるんだ
ミカエル…!!
お前《まえ》がどれ程《ほど》の男《おとこ》か見《み》せてもらうまで俺《おれ》は救世使《きゅうせいし》なんて認《みと》めねぇからな
そんな下魚《ザコ》なんぞにお前《まえ》がやられたんじゃ俺《おれ》の立場《たちば》はどーなんだよ

さっさと乗《の》れ!!
日《ひ》が暮《く》れちまうだろ!!!
強《つよ》く猛《たけ》き魂よ
天軍《てんぐん》を率《ひき》いる光《ひかり》の副王《ふくおう》よ
ミカエルは炎《ほのお》の天使《てんし》
その内《うち》なる炎《ほのお》は
自分《じぶん》をも焼《や》き尽《つ》くす程《ほど》に強《つよ》く
激《はげ》しく
強《つよ》く——

熱《あつ》い―――
ガッ
カッ
ラファエル様《さま》 これからの貴方様《あなたさま》の 行動《こうどう》は全《すべ》て逐一《ちくいち》 報告《ほうこく》させて いただきますので…
あんまり ひっつかないで くれる? 野郎《やろう》って嫌《きら》いなんだ
問題《もんだい》は彼女《バービエル》だ… 彼女《かのじょ》がいつ行動《こうどう》に 移《うつ》すかが大問題《だいもんだい》だ…!
ビー
ビー
DANGER
何事《なにごと》だ?
例《れい》の女《おんな》が 監視《かんし》カメラを 壊《こわ》したぞ!!
行《い》け!

力天使《ヴァーチューズ》副官《ふくかん》バービエルっ…!?
うっ!!
しまった…!!
人質《ひとじち》が自害《じがい》してしまったぞ!!

天《てん》使《し》禁《きん》猟《りょう》区《く》

Angel Sanctuary

ラファエル様《さま》…
ラファエル様《さま》
まだ到着《とうちゃく》まで
時間《じかん》がございますわ
お飲《の》み物《もの》でも
いかがです？
…ん…
そうだな
もらおうか
…
バービエル…

バービエル副官《ふくかん》…!!
何《なん》たる事《こと》だ ラファエル様《さま》の人質《ひとじち》が自《みずか》ら命《いのち》を断《た》ってしまうとは…!!
この指輪《ゆびわ》…!! 指《ゆび》に密着《みっちゃく》して外《はず》せないタイプの物《もの》だったが… この中《なか》に毒《どく》が仕込《しこ》んであったらしい
この事《こと》は内密《ないみつ》に処置《しょち》をする
死《し》んだ事《こと》がラファエル様《さま》の耳《みみ》に入《はい》れば人質《ひとじち》のイミがなくなる
急《いそ》いでセヴォフタルタ様《さま》に連絡《れんらく》を――

──しかし
あの監視《かんし》カメラ
どうやって壊《こわ》したんだ?
おい!
こいつを運《はこ》ぶのを
手伝《てつだ》ってくれ
一応《いちおう》 蘇生処置《そせいしょち》を
病室《びょうしつ》で…
ジャッ!
!
ぎあっ

動《うご》くな!!
貴様《きさま》…!!
…そんな物《もの》を隠《かく》し持《も》って…!?
毒《どく》を飲《の》んだんじゃなかったのか!
じゃ 口《くち》から出《で》てたあの血《ち》は一体《いったい》…
これ…
ですわ

タダ見《み》は高《たか》くつくって
お勉強《べんきょう》になりました？
例《れい》の人質《ひとじち》が逃亡《とうぼう》したぞ!!
追《お》え!!!
間違《まちが》っても外《そと》へ出《だ》してはならん!!

私は、ヘソ曲がりなのでずいぶんたってからFFVIIIやりましたが…期待してた人が文句言いまくる中、私自身はとてもおもしろかったです。だーってガクト(スコール)かっこよすぎー!!「いろいろ?」もあるにはあるけど、ラストの美しい感動的なあのムービーでもう何もかもどーでもいいっ!!ラグナのあのシーンで…めっちゃいいやん!泣いてしまいましてん。タカコ(リノア)も最初好きじゃなかったけど、よくあのガンコな主人公の心を開かせたもんだ。普通あきらめるよ いくらいい男でも…(こう書くと不純か!)スコールの考え方ってわかる…つっーか。いるんだよ こーゆー人。

都合《つごう》のいいカン違《ちが》い
すんじゃねーぞ
俺《おれ》は俺《おれ》だけの味方《みかた》だ
誰《だれ》の命令《めいれい》もきく気《き》はねぇ
ただ…
セヴォフタルタのやり口《くち》にはもうウンザリしてんだ
ゴゥンゴゥン
ゴゥンゴゥン
四大元素《エレメンツ》の天使《てんし》ってのはこの天界《てんかい》の中《なか》でも異質《いしつ》な存在《そんざい》なんだ
たとえウマの合《あ》わねぇジブリールの事《こと》だとしても俺達《おれたち》には兄妹《きょうだい》みてぇに身近《みぢか》なもん…それを
あの得体《えたい》の知《し》れねぇ覆面男《ふくめんおとこ》に勝手《かって》にされるのは大《おお》いに気《き》に食《く》わねぇ
あいつ俺《おれ》にジャマされんのを恐《おそ》れて俺《おれ》をあんな辺境《へんきょう》での悪魔討伐《あくまとうばつ》の任務《にんむ》につけやがったんだ！
ラファエルじゃあるめーし俺《おれ》が命令違反《めいれいいはん》を恐《おそ》れるかってんだ！

ラファエル…
あの…俺《おれ》の体《からだ》を生《い》き返《かえ》らせた金髪《きんぱつ》の天使《てんし》か…?
紗羅《さら》を…連《つ》れて行《い》った
ああ あの後《あと》すぐジブリールはセヴィーに連行《れんこう》されてってたけど そーいや あのラファエルが珍《めずら》しくあの女《おんな》にはてこずってたなァ
四大元素《エレメンツ》 風《かぜ》の天使《てんし》ラファエル… そして水《みず》の天使《てんし》ジブリール…それが紗羅《さら》のかつての本当《ほんとう》の姿《すがた》…!
そして今《いま》 無道紗羅《むどうさら》としての… 実《じつ》の兄《あに》…つまりこの俺《おれ》との関係《かんけい》を裁《さば》かれようとしているのか
そんな事《こと》させるものか!!
あの地上《ちじょう》での苦《くる》しみを再《ふたた》び…
紗羅《さら》に味《あじ》わわせるわけにはいかない!!!

うああっ!!
おい!?
右目《みぎめ》がっ…!!
言《い》わんこっちゃねぇだろが!! ムチャすんじゃねーよっ
やっぱ戻《もど》って手術《しゅじゅつ》なり何《なん》なりしとかねーとやべーんだよ!
グル
グル
見《み》せてみろ…!
うっ…!!

あのさー…お前《まえ》…その目《め》の腐食《ふしょく》…
ヒク
顔中《かおじゅう》に広《ひろ》がってんぞ…!
言わんこっちゃねー…
見《み》える…!!

どうなってるんだ…!?
見《み》える…
裁判所《さいばんしょ》がっ…!?
人《ひと》があんなに…
セヴォフタルタがっ…!!
紗羅《さら》!!!
こいつはっ…
以前《いぜん》東京《とうきょう》でウロチョロしていた天使《てんし》…?
ロシエル様《さま》どうかなさいましたか?
「ロシエル様《さま》」…!?

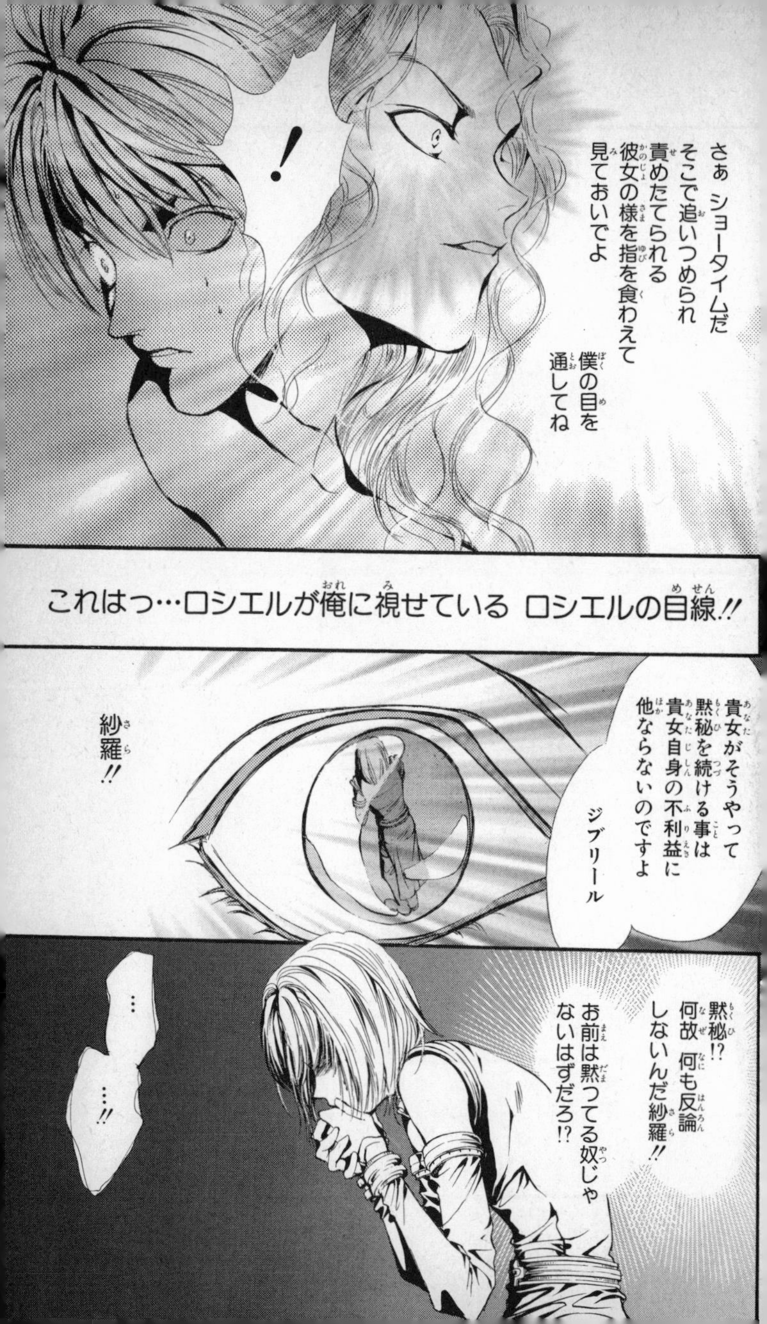
!
さぁ ショータイムだ
そこで追《お》いつめられ
責《せ》めたてられる
彼女《かのじょ》の様《さま》を指《ゆび》を食《く》わえて
見《み》ておいでよ
僕《ぼく》の目《め》を
通《とお》してね
これはっ…ロシエルが俺《おれ》に視《み》せている ロシエルの目線《めせん》!!
貴女《あなた》がそうやって
黙秘《もくひ》を続《つづ》ける事《こと》は
貴女自身《あなたじしん》の不利益《ふりえき》に
他《ほか》ならないのですよ
ジブリール
紗羅《さら》!!
黙秘《もくひ》!?
何故《なぜ》 何《なに》も反論《はんろん》
しないんだ紗羅《さら》!!
お前《まえ》は黙《だま》ってる奴《やつ》じゃ
ないはずだろ!?
…
…!!

紗羅《さら》の…様子《ようす》が変《へん》だ!?
…さて ここに彼女《かのじょ》に大変《たいへん》詳《くわ》しい方《かた》からの信用《しんよう》のおける証言《しょうげん》をお目《め》にかけたいと思《おも》います
生憎《あいにく》と本人《ほんにん》は特殊《とくしゅ》任務《にんむ》のため欠席《けっせき》を余儀《よぎ》無《な》くされていますが…
パッ
この立体映像《ホログラフ》を御覧《ごらんくだ》下さい
私《わたし》は神《かみ》の御名《みな》において真実《しんじつ》のみを告《つ》げる事《こと》をここに誓《ちか》います

これは地上《ちじょう》より採取《さいしゅ》した無道紗羅《むどうさら》の死体《したい》——
最高会《さいこうかい》よりの依頼《いらい》で精密検査《せいみつけんさ》をした結果《けっか》妊娠《にんしん》している事《こと》が判明《はんめい》した
DNA鑑定《かんてい》では間違《まちが》いなく近親者《きんしんしゃ》との間《あいだ》の子供《こども》——
99.7%の確率《かくりつ》で無道刹那《むどうせつな》の子《こ》であると言《い》える——
——以上《いじょう》が力天使長《グレートヴァーチューズ》ラファエルの証言《しょうげん》であります

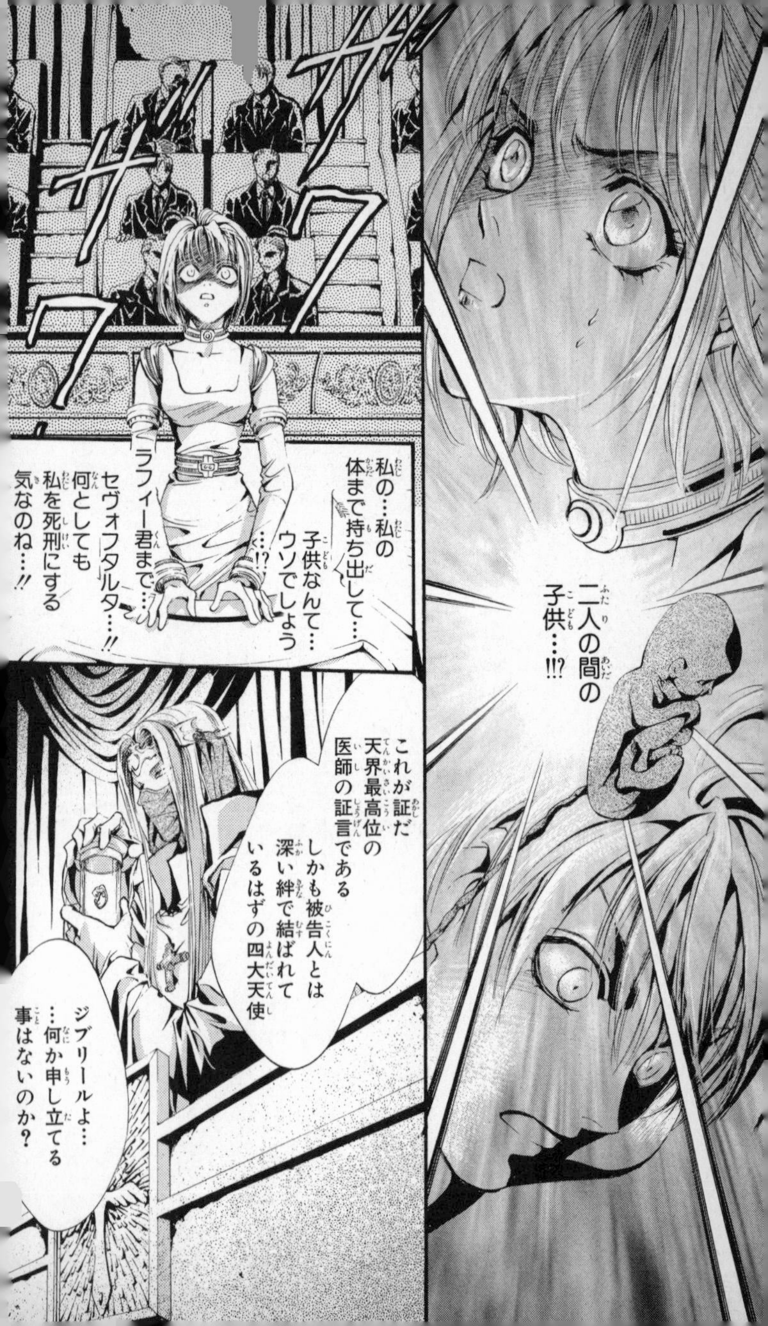
二人《ふたり》の間《あいだ》の子供《こども》…!!?
ザワ
ザワ
私《わたし》の…私《わたし》の体《からだ》まで持《も》ち出《だ》して…子供《こども》なんて…ウソでしょう…!?
ラフィー君《くん》まで…セヴォフタルタ…!!
何《なん》としても私《わたし》を死刑《しけい》にする気《き》なのね…!!
これが証《あかし》だ 天界最高位《てんかいさいこうい》の医師《いし》の証言《しょうげん》である
しかも被告人《ひこくにん》とは深《ふか》い絆《きずな》で結《むす》ばれているはずの四大天使《よんだいてんし》
ジブリールよ…何《なに》か申《もう》し立《た》てる事《こと》はないのか?

ジブリールよ
さあ　この
衆人環視《しゅうじんかんし》の中《なか》
お前《まえ》の正義《せいぎ》と
やらを聞《き》かせて
もらおうではないか
沈黙で答えしは
事実《じじつ》に相違《そうい》ないと…
自分《じぶん》の犯《おか》した
過《あやま》ちを認《みと》めると
そう言《い》うのだな!?
何《なに》も申《もう》さぬのならば
罪《つみ》を認《みと》めたものと
みなすぞ!
私《わたし》を訴《うった》える
事《こと》が出来《でき》ると
いうのなら
やってみるがいい――

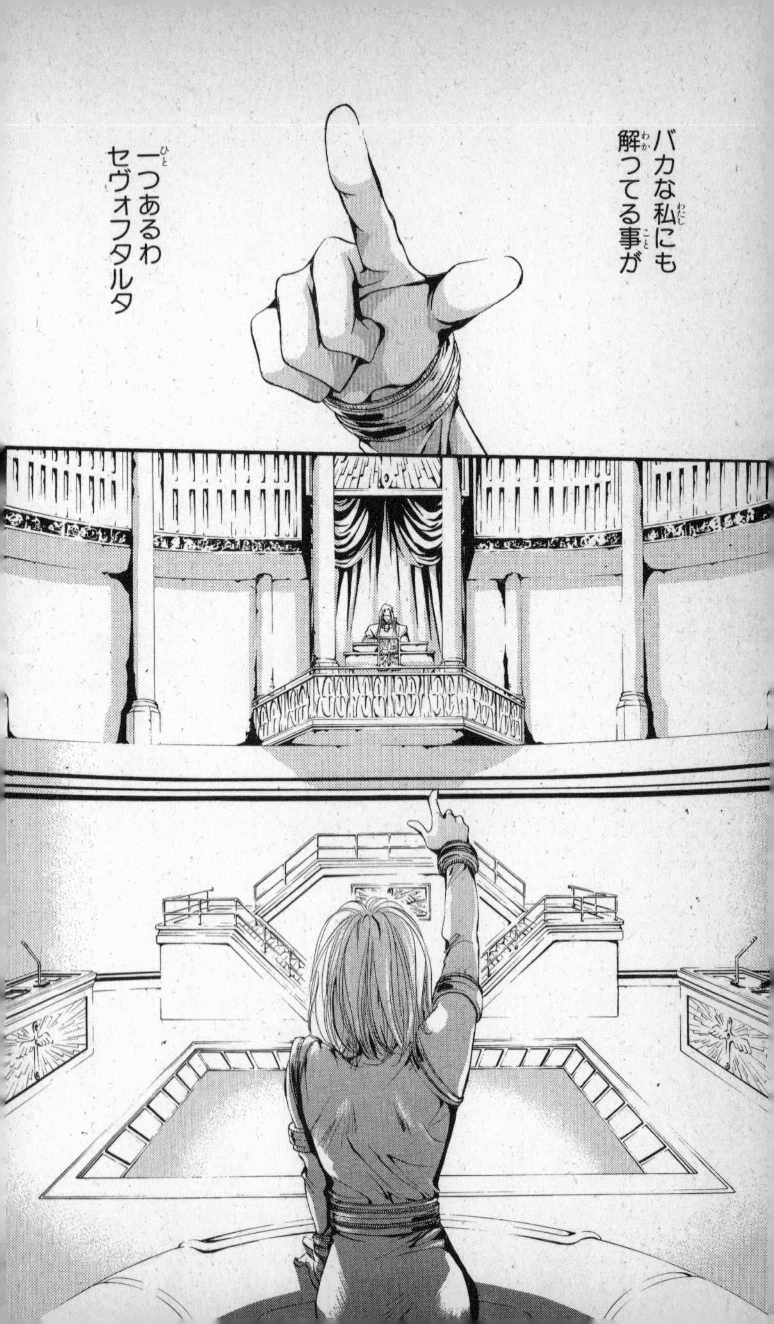
バカな私《わたし》にも
解《わか》ってる事《こと》が
一《ひと》つあるわ
セヴォフタルタ

私《わたし》は
あんたを許《ゆる》さない
どこまでもあんたが私《わたし》を汚《きたな》い手《て》で陥《おとしい》れるというのなら
私《わたし》はあんたを告発《こくはつ》する
…ふっ
被告人《ひこくにん》はお疲《つか》れの様《よう》だ
紗羅《さら》…!!
しばらくの間《あいだ》休廷《きゅうてい》とする
再開《さいかい》は20分《ぷん》後《ご》だ!

紗羅《さら》――――!!!
来《く》るか…
カッ
アレクシエル…!!
カッ

ピキッ
ゴン
ゴン
ゴン
ゴン
ゴン
ゴン
ここは…どこ…？
ほら もう見《み》えるだろ？
かつて僕《ぼく》と君《きみ》の眠《ねむ》っていた場所《ところ》…
棺桶《かんおけ》の如《ごと》き出《で》る事《こと》の許《ゆる》されなかった胎内容器《たいないようき》…

揺《ゆ》り籠《かご》だ…
ぼく
あれがこわいよ
サンダルフォン…

ラファエル様《さま》！ ラファエル様《さま》!! 私《わたし》です
バービエル!?
ばっ
ガ
脱出《だっしゅつ》したのか!?
ええ なんとか 貧《まず》しい食生活《しょくせいかつ》と運動不足《うんどうぶそく》で肌荒《はだあ》れが心配《しんぱい》ですけどね
軍《ぐん》より支給《しきゅう》されたこの指輪《ゆびわ》はシュミでいろいろ便利《べんり》に改造《かいぞう》させてもらってますの
自分《じぶん》の存在《そんざい》が上官《じょうかん》の障害《しょうがい》にならぬ最善《さいぜん》の方《ほう》を考《かんが》えて行動《こうどう》するのが副官《ふくかん》の常《つね》
毒《どく》を飲《の》むのはそれらが全《すべ》て断《た》たれた時《とき》の最終手段《さいしゅうしゅだん》です
それとも―― 私《わたし》が自害《じがい》するとお思《おも》いでしたか？

……
?
それに私《わたし》以外《いがい》の誰《だれ》がラファエル様《さま》の女性関係《じょせいかんけい》を監視出来《かんしでき》るとお思《おも》いですか?
ビクッ
そこの女《おんな》にもキス以外《いがい》は許《ゆる》しませんわよ♡
君程《きみほど》 優秀《ゆうしゅう》な副官《ふくかん》を失《うしな》わずに済《す》んで嬉《うれ》しいよ
バービエル
そうでしょうとも! それでは信号《しんごう》を出《だ》しますのですぐ落《お》ち合《あ》いましょう
了解《りょうかい》した
ラファエル力天使長《グレートヴァーチューズ》!

…どうしても副官《ふくかん》の元《もと》へいらっしゃるというのなら…
これは立派《りっぱ》な軍規違反《ぐんきいはん》です 神《かみ》の命《めい》に背《そむ》くと…
神《かみ》じゃない
お前達《まえたち》軍用犬《ドーベルマン》の飼《か》い主《ぬし》セヴォフタルタの…だろ?
セヴォフタルタ様《さま》の声《こえ》が神《かみ》の声《こえ》なのだ
よくお考《かんが》え下《くだ》さい あの方《かた》に逆《さか》らえばどうなるのか…
四大天使《よんだいてんし》の位《くらい》の剝脱《はくだつ》 今度《こんど》は俺《おれ》がジブリールの二《に》の舞《まい》となって裁《さば》かれ…
俺《おれ》は彼女《かのじょ》の何十倍《なんじゅうばい》もの罪深《つみぶか》き行《おこな》いを問《と》われ極刑《きょっけい》…そんな所《とこ》だろ

…そうバカでも
わかる図式《ずしき》だね
わざわざ
自分《じぶん》から破滅《はめつ》を
望《のぞ》む奴《やつ》はいない
いつだって
俺《おれ》は自分《じぶん》の事《こと》しか
考《かんが》えてないし
人質《ひとじち》が戻《もど》ったからって
これ以上《いじょう》ジブリールに
関《かかわ》って痛《いた》い目《め》にあうなんて
…正気《しょうき》の沙汰《さた》じゃない
…その通《とお》り！
さぁ その女《おんな》を
お離《はな》し下《くだ》さい
もうすぐ
目的地《もくてきち》です
そうだ俺《おれ》は
それだけの男《おとこ》だ
いやよ
いつだって女達《おんなたち》は
そんな俺《おれ》の影《かげ》に
気付《きづ》きもしない
そうだ…
あの娘《こ》だけ
そう…

どうかしてる――
…あれ？

…な…
何故《なぜ》…!!
なんでだろう?
正気《しょうき》…か!?
宰相《さいしょう》に逆《さか》らえばどうなるかっ…!!
どうかしてしまったのか!!
ラファエル力天使長《グレートヴァーチューズ》!
ドンドン

…そうみたい
…俺《おれ》…
何《なに》やってんだ…
宰相直属《さいしょうちょくぞく》の
白《しろ》い制服《せいふく》を
ぶっ殺《ころ》して
セヴィーを敵《てき》に
回《まわ》してまで
俺《おれ》は今《いま》
何《なに》をしようと
しているんだ？

…おい
おい救世使《きゅうせいし》!!
うわあああ
ロシエルの魔に
犯《おか》された
俺《おれ》の右目《みぎめ》…!!
俺《おれ》の体《からだ》の中《なか》を…
あいつの細胞《さいぼう》が
広《ひろ》がっていく…!!
ロシエルの
…!!!

わっ!!
何《なん》だ——っ!?
無限物質磁場《アカシヤ》で作《つく》った亜空間《あくうかん》だよ
ここにしばらく足止《あしど》めさせてもらうよ
これからがいいトコなんだから
そこでおとなしく見《み》ていてよ

ジャマだよ
君達《きみたち》
虫《むし》ケラが
何匹《なにびき》揃《そろ》ったって
うるさいだけ
救世使《きゅうせいし》——?

きゃあああ――
俺《おれ》は一体《いったい》何《なに》をしようとしている
くす
くす
くす
一体《いったい》何《なに》が起《お》こっている――?

もうすぐクライマックスなんだから
邪魔《じゃま》はしないでよ
天《てん》使《し》禁《きん》猟《りょう》区《く》
Angel Sanctuary

君達四大元素の結束《けっそく》の固《かた》さとやらにはホント ウンザリだよ
君等《きみら》は昔《むかし》から僕《ぼく》よりもアレクシエル寄《よ》りだったもんねぇ
炎《ほのお》のミカエル…
金色《きんいろ》の右目《みぎめ》…!!!
お前《まえ》…
ロシエル…か! 救世使《きゅうせいし》の右目《みぎめ》に取《と》り付《つ》いてやがるのは…!!
また やっかいなモンに乗《の》り移《うつ》られやがったな救世使《きゅうせいし》よ…!!!
こいつが相手《あいて》じゃこの磁場変換《じばへんかん》は簡単《かんたん》には破《やぶ》れねえぞ…!

ふっ…
確《たし》かに自然界《しぜんかい》の守護天使《ガーディアンエンジェル》である俺達《おれたち》とは有機天使《ゆうきてんし》の方《ほう》がソリが合《あ》うかもしれねーが…
そんな事《こと》は関係《かんけい》ねぇ
ただお前《まえ》が大嫌《だいきら》いなだけだ
僕《ぼく》は君《きみ》が大好《だいす》きだよ
僕《ぼく》を蛇《へび》みたいに嫌《きら》う奴《やつ》はみんな大好《だいす》き
セヴォフタルタなんて…抱《だ》きしめてやりたいくらいなのさ
だから おとなしくここで見《み》ていてよ
君達《きみたち》だって彼女の事《こと》は好《す》きだろう? もうすぐ面白《おもしろ》くなるんだから
君達《きみたち》の番《ばん》はその後《あと》にするよ

→続き
いやあ、キャラデザもモデルがバレバレでステキです。ムービーは最高…だがしゃべってくれてもいいよーな…。魔女さんがキレーだったけど。(でもアデル、て、あれで本当に女の人の体…?) それと「応援」の事もわかるけど召喚のムービー長すぎますがしまいにゃあきてきて…。カードゲームはハマったけどね。えーと今は「ペルソナ罪」やってまーす。ソールハッカーズもそうだったけどOPのムービーいつもかっこいいっすねー。わくわくするよ。ペルソナは個性的なメンバーがバトルでしゃべるのが好き！「罪」の主人公もかっこいい声だ。主人公「キリト」にしたら、友人の名が「ジュン」だったので笑った。字は違うけどね。
ぐーぜんだった。

これはバービエル。15巻の中表紙もそう。目の下のほくろが彼女のしるし 実はキレ者という設定。
私はわりと好き。

バービエル！
無事《ぶじ》か！ その血《ち》は…
御心配《ごしんぱい》なく 脱出《だっしゅつ》する為《ため》に 自分《じぶん》で付《つ》けた 傷《きず》の物《もの》ですわ
…でも本当《ほんとう》は 判断《はんだん》に苦《くる》しみました のよ
ラファエル様《さま》が 宰相《さいしょう》に逆《さか》らわぬ おつもりならば このまま人質《ひとじち》で いた方《ほう》がいいのかと…
…でも こうして来《き》て 下《くだ》さったという事《こと》は 私《わたし》の勘《かん》が当《あ》たったと 見《み》ていいんですね
ラファエル様《さま》 にもやっと 女心《おんなごころ》が通《つう》じたと…
…何《なに》を 言《い》ってるんだ？ 俺《おれ》はただ 彼女《かのじょ》を放《ほう》って おけないから…
何故《なぜ》 放《ほう》って おけないん ですの？
ん？

貴方《あなた》のなさろうとしている事《こと》は叛逆行為《はんぎゃくこうい》…まさにセヴィー様《さま》と天界全体《てんかいぜんたい》を敵《てき》に回《まわ》さんとする重大《じゅうだい》な賭《か》けですのよ
そうまでしてジブリール様《さま》を助《たす》けたい理由《りゆう》は…!?
彼女《かのじょ》が同《おな》じ四大元素《エレメンツ》の守護天使《ガーディアンエンジェル》で生《う》まれた時《とき》からの仲間《なかま》だからですか?
普段《ふだん》は反発《はんぱつ》し合《あ》っていてもいざとなれば放《ほう》っておけないから…
違《ちが》う!
違《ちが》う…
彼女《かのじょ》を助《たす》けたいのは古《ふる》くからの友人《ゆうじん》だからじゃ…ない
あの子《こ》が…
無道紗羅《むどうさら》だから…
あの子《こ》は…ごく普通《ふつう》の女《おんな》の子《こ》だったはずだ…
俺《おれ》を恐《おそ》れず自分《じぶん》の意見《いけん》をはっきりと言《い》い気《き》が強《つよ》いかと思《おも》えば…
時折《ときおり》 折《お》れそうな程《ほど》はかな気《げ》な少女《しょうじょ》…
どこまでも見透《みす》かす様《よう》に真《ま》っ直《す》ぐ俺《おれ》を見《み》つめるあの子《こ》…

あの少女《しょうじょ》を…
助《たす》けたい…！
よく言《い》えましたわね ラファエル様《さま》
ニコッ
さあ！後《あと》の事《こと》は全《すべ》て引《ひ》き受《う》けましたわ
力天使《ヴァーチューズ》ST達《たち》には私《わたし》の方《ほう》から言《い》っておきます
去《さ》るも残《のこ》るも自由《じゆう》だとね！

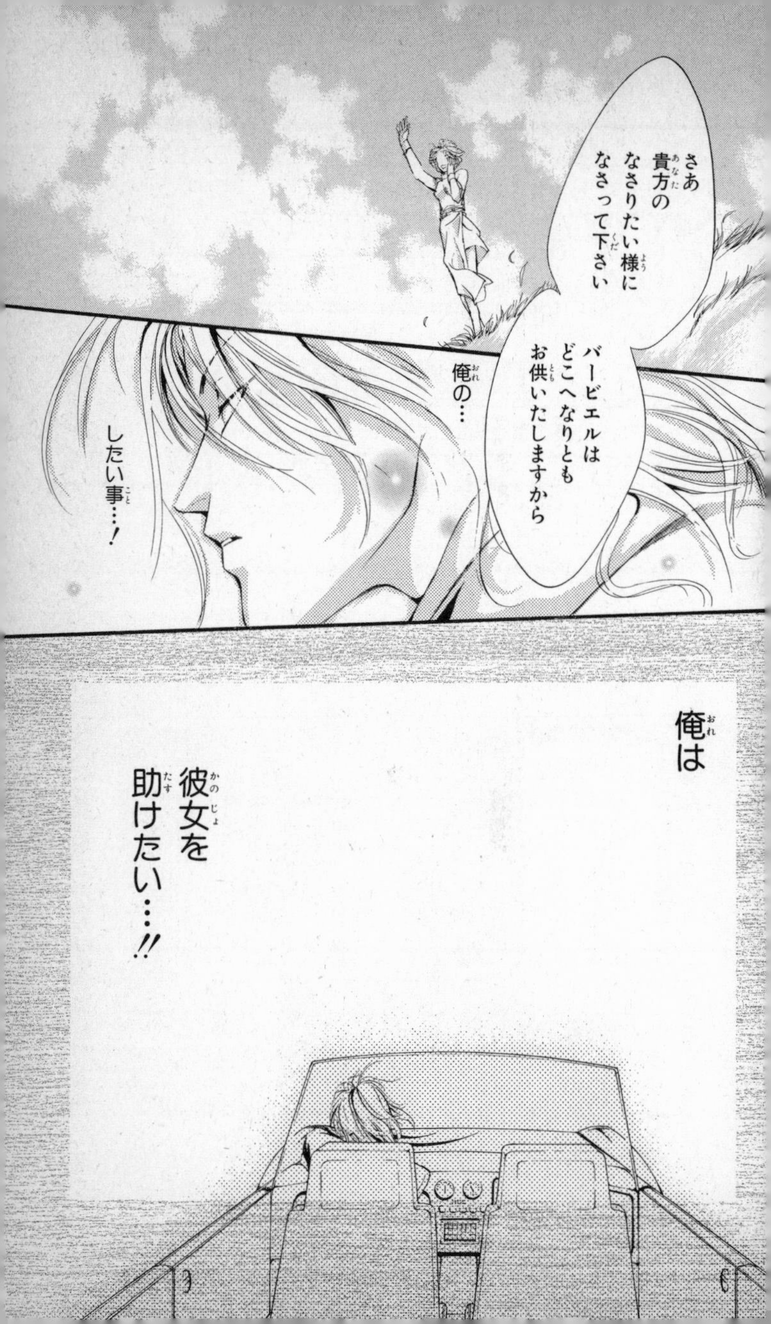
さあ貴方《あなた》のなさりたい様《よう》になさって下《くだ》さい
バービエルはどこへなりともお供《とも》いたしますから
俺《おれ》の…
したい事《こと》…!
俺《おれ》は
彼女《かのじょ》を助《たす》けたい…!!

一体《いったい》 どうなっているんだこの裁判《さいばん》は――
あまりにもジブリール様《さま》には不利《ふり》な証拠《しょうこ》ばかりだ
だが反論《はんろん》なされないところを見《み》ると…やはり事実《じじつ》…?
信《しん》じられない 誇《ほこ》り高《たか》き四大元素《エレメンツ》の…御前天使《ごぜんてんし》がか!?
しかし…ジブリール様《さま》の御様子《ごようす》はおかしい…!
ただ今《いま》より裁判《さいばん》を再開《さいかい》する!!
こうなる事《こと》はわかっていたはず――
あのラファエル様《さま》…までが私《わたし》に嘘《うそ》をついて薬《くすり》を飲《の》ませ私《わたし》に口封《くちふう》じをした今《いま》
私《わたし》には今《いま》 一人《ひとり》の味方《みかた》もいないのだから
私《わたし》の本体《ほんたい》まで地球《ちきゅう》から回収《かいしゅう》して…あんな風《ふう》に扱《あつか》い…証言《しょうげん》までして…
そして…二人《ふたり》の子供《こども》だという胎児《たいじ》まで見《み》せた…!

もう命《いのち》のないホルマリン漬《づけ》の赤《あか》ちゃん…
あれは…本当《ほんとう》に私《わたし》と…刹那《せつな》の…？
…何《なに》も考《かんが》えられない…
…さあジブリールよ これが最後《さいご》の審議《しんぎ》となる
これ以上《いじょう》黙秘《もくひ》を続《つづ》けるというのなら全《すべ》ての罪《つみ》を認《みと》めたという事《こと》になるぞ
…わかってる… ラフィー君《くん》は軍人《ぐんじん》さんだもの
セヴォフタルタに命《めい》じられればどんな事《こと》だって断《ことわ》れないわ
彼《かれ》を恨《うら》むのは筋違《すじちが》いなのはわかってるよ
ただ私《わたし》が勝手《かって》に期待《きたい》してしまっただけ
この天界《てんかい》でただ一人《ひとり》私《わたし》の味方《みかた》をしてくれたなんて…思《おも》い上《あ》がってしまっただけ
四大天使《よんだいてんし》ともあろう者《もの》が人間界《にんげんかい》にいる間《あいだ》の仮《かり》の姿《すがた》とはいえ実《じつ》の兄《あに》である者《もの》と歪《ゆが》んだ愛情関係《あいじょうかんけい》を持《も》ったと…
そして罪《つみ》の証《あかし》までも作《つく》り出《だ》そうとしていたと認《みと》めると…
異議《いぎ》はないのだな!?

異議《いぎ》はある
だが異議《いぎ》を申《もう》し立《た》てるのは俺《おれ》ではない
あーつかれた… もーやだ もーやんない
ラ…ラファエル様《さま》!!
ただ今《いま》 開廷中《かいていちゅう》で…

私《わたし》の命令《めいれい》を聞《き》かなかったのか――!?
ラファエル…!!?
ラ…ラフィー君《くん》…!?
ラファエル…
ど…どうなってんの!? 何故《なぜ》ここに…!!
こ…これもセヴォフタルタの罠《わな》なの…!?
でも…いつもバッチリ決めてるラフィー君《くん》と違《ちが》って…この人《ひと》
髪《かみ》はバサバサだし
服《ふく》だってあちこち汚《よご》れてて…
別人《べつじん》みたい…
カッ

紗羅《さら》――!!!
…やっ…

やめてよ!!
このスケベ!
それでいい
君《きみ》ははっきり
物《もの》を言える子
だもんね
紗《さ》羅《ら》ちゃん
声《こえ》っ…!!

な…なんという事《こと》を!!
この様《よう》な厳格《げんかく》な場《ば》での禁《きん》を犯《おか》す行為《こうい》…!
これだけの証人《しょうにん》の前《まえ》では言《い》い逃《のが》れは出来《でき》ませんぞ
ラファエル様《さま》!!
あの熱さが…喉《のど》の痛《いた》みが…消《き》えている…!!
さつきのあれは…!!
ラフィー君《くん》…!
お前達《まえたち》四大天使《よんだいてんし》も地《ち》に堕《お》ちたものだなラファエルよ!!
その様《よう》な愚《おろ》かな行為《こうい》を面前《めんぜん》でする様《よう》な者《もの》に異議《いぎ》を申《もう》し立《た》てる権利《けんり》があるか!
愚《おろ》か者《もの》め!!
私《わたし》にはあるわ…

そうよ
私《わたし》は刹那《せつな》と一度《いちど》結《むす》ばれたのよ
無道《むどう》紗羅《さら》は実《じつ》の兄《あに》と愛《あい》し合《あ》ったの
神《かみ》に誓《ちか》って本当《ほんとう》よ

なつ…
なぜ声《こえ》がつ…!!
まさか…ラファエル この私《わたし》を裏切《うらぎ》って——!?
紗羅《さら》!!
続《つづ》けろよ
君《きみ》のあのタンカを他《ほか》の奴《やつ》らにも聞《き》かせてやれ
ラフィー君《くん》…!!

そう…私《わたし》も昔《むかし》は何《なん》とかこの気持《きもち》を殺《ころ》そうとがんばったわ
この思《おも》いは異常《いじょう》な事《こと》なんだ いや ただの心《こころ》の迷《まよ》いなんだと思《おも》い込《こ》もうと必死《ひっし》に…!!
でも…それでも好《す》きだという気持《きも》ちはどうしても消《け》せなかった!!
紗羅《さら》……
そして…お兄《にい》ちゃんも私《わたし》と同《おな》じだった…そして苦《くる》しんで苦《くる》しんで…
身《み》を引《ひ》こうともした…!
さんざん家族《かぞく》にも…周《まわ》りの人間《にんげん》にも詰《なじ》られたわ!!
そして…あの日《ひ》…お兄《にい》ちゃんは本当《ほんとう》に何《なに》もかも投《な》げ出《だ》して…
私《わたし》と二人《ふたり》っきりで生《い》きていこうと…私《わたし》を選《えら》んでくれた
そうよ! 私達《わたしたち》は自分《じぶん》でこの罪深《つみぶか》い道《みち》を選《えら》んだの

でも私《わたし》 後悔《こうかい》は していないわ
一生誰《いっしょうだれ》も愛《あい》せずに 化石《かせき》の様《よう》に生《い》きるより 本当《ほんとう》に好《す》きな人《ひと》と 生《い》きる方《ほう》を選《えら》んだ事《こと》
だって私《わたし》はその時《とき》 この世《よ》で一番幸《いちばんしあわ》せな 女《おんな》の子《こ》になったんだもの
たとえ それが 禁《きん》じられた思《おも》いだとしても
よくも ぬけぬけと …!
恥知《はじし》らずな 事《こと》を…!!
…そうね
好《す》きな人《ひと》に好《す》きだと …伝《つた》える事《こと》さえ 許《ゆる》されない
愛《あい》さえもない この天国《てんごく》に育《そだ》った ただ神様《かみさま》の為《ため》に 生《い》きる貴方達《あなたたち》には わからないわね

全《すべ》ての感情《かんじょう》を殺《ころ》してまで清《きよ》く正《ただ》しく ただ神《かみ》の決めた戒律《レール》の上《うえ》を転《ころ》がってゆく
不自然《ふしぜん》で…可哀相《かわいそう》な人形達《にんぎょうたち》…
貴方達《あなたたち》はおもちゃの兵隊《トーイソルジャー》だものね
そして…
お可哀相《かわいそう》なセヴォフタルタ様《さま》…
なっ…！
言《い》わせておけば この小娘《こむすめ》 何《なに》を…！
！
ギュッ…
そんなにまでして自分《じぶん》の仮面《かめん》の下《した》の真実《しんじつ》を隠《かく》したいの？
ガタ
ガタ
ガタ
ガタ

この大観衆《だいかんしゅう》の前《まえ》で
私《わたし》は貴方《あなた》を訴《うった》えるわ
セヴォフタルタ
私《わたし》は今《いま》ジブリールではなく
無道紗羅《むどうさら》としての記憶《きおく》しか
持《も》っていないわ
それは私《わたし》が刹那《せつな》を
好《す》きで…その思《おも》いが私《わたし》を
紗羅《さら》でいさせているのだと
信《しん》じてる
でもかつて
ジブリールが人間《にんげん》として
刹那《せつな》の守護天使《ガーディアンエンジェル》となり
紗羅《さら》として転生《てんせい》したのは
…
決《けっ》してジブリールの
意志《いし》からでは
ないわ!!

全《すべ》ては貴方《あなた》…セヴォフタルタの企《たくら》みだったのよ!!
黙《だま》れっ!! 自分《じぶん》の忌《いま》わしい罪《つみ》を正当化《せいとうか》しようとしたばかりか
その様《よう》な世迷《よま》い言《ごと》でこの私《わたし》を侮辱《ぶじょく》する発言《はつげん》…許《ゆる》せぬ!!
それはどうかかな? これを見《み》てみろよ

長《なが》い眠《ねむ》りから目覚《めざ》めたジブリールの首筋《くびすじ》にあった針《はり》の跡《あと》だ
分析《ぶんせき》して調《しら》べればすぐ解《わ》かる事《こと》だ
これが宰相殿《さいしょうどの》お得意《とくい》の神経針《しんけいばり》の跡《あと》だという事《こと》は
おのれ…!!この私《わたし》を愚弄《ぐろう》するかっ…!ラファエル!!
ラファエルめ…この私《わたし》を裏切《うらぎ》るというのか!!
今《いま》の発言《はつげん》を記録《きろく》から削除《さくじょ》し裁判中継《さいばんちゅうけい》を中止《ちゅうし》せよ!
衛兵《えいへい》よ!!命令違反《めいれいいはん》と公衆《こうしゅう》の面前《めんぜん》での淫《みだ》らな行為《こうい》による罪《つみ》でラファエル力天使長《グレートヴァーチューズ》を拘束《こうそく》するのだ!
!

卑怯者《ひきょうもの》!! あんたなんか最低《さいてい》よ!
やめて! ラフィー君《くん》を離《はな》してよーっ
ど…どういう事《こと》なんだこれはっ…!!
宰相《さいしょう》! 正当《せいとう》な裁判《さいばん》ならどんな発言《はつげん》も記録《きろく》すべきだ
えらい事《こと》だ…!
放送《ほうそう》は続《つづ》けるべきだ
この事態《じたい》をしっかりと全天使達《ぜんてんしたち》に説明《せつめい》すべきでしょう!!
ジブリール様《さま》…!!
!

どのみちこの裁判《さいばん》は無効《むこう》だ
こう偽証《ぎしょう》や偽裁判長《にせさいばんちょう》が横行《おうこう》しては宣誓《せんせい》の意味《いみ》がない
あいつは…!!
今《いま》まで代行《だいこう》御苦労《ごくろう》だったなフェリエルよ
あ…
あなたは…!!

私《わたし》は正統《せいとう》なる司法官《しほうかん》
裁《さば》きの天使《てんし》四大元素《エレメンツ》
ウリエル
ウ…ウリエル様《さま》!!
よくお帰《かえ》りに
――!

ほらっ…刹那《せつな》
面白《おもしろ》くなってきたろ?
天界司法全書《てんかいしほうぜんしょ》によれば
「裁判長《さいばんちょう》は天使名簿《てんしめいぼ》に正式登録《せいしきとうろく》されし第一階級以上《だいいちかいきゅういじょう》の最高司法官資格《さいこうしほうかんしかく》を有《ゆう》する者《もの》から選抜《せんばつ》されるべし」——とあります
ウリエルっ…!!
星幽界《ヘイディーズ》にいるはずのウリエルじゃねえかっ…!

神聖《しんせい》な裁判《さいばん》を汚《けが》す者《もの》よ
天使名簿《てんしめいぼ》に名前《なまえ》のない貴方《あなた》は一体何者《いったいなにもの》なのか？セヴォフタルタ

私《わたし》の周《まわ》りもきなくさくなってきた
これよりしばらく通信《つうしん》を断《た》つ事《こと》になる
地下《ちか》へ潜《もぐ》る頃合《ころあい》だ
世話《せわ》になったなウリエルよ
彼《かれ》は自分《じぶん》の運命《うんめい》を察知《さっち》していた様《よう》だ
私《わたし》に託《たく》されたのは彼《かれ》の組織《そしき》が長年《ながねん》かけて調査《ちょうさ》した血《ち》と泪《なみだ》の結晶《けっしょう》――
独裁者《どくさいしゃ》の失墜《しっつい》のための極秘《ごくひ》データ
そしてそれは同時《どうじ》に彼《かれ》の最期《さいご》の形見《かたみ》となった
ザフィケルがその生涯《しょうがい》の全《すべ》てをかけて貫《つらぬ》いたその志《こころざし》――
神聖《しんせい》なる裁《さば》きの場《ば》において不正《ふせい》を行《おこな》う壇上《だんじょう》の天使《てんし》よ

一体《いったい》 貴方《あなた》は何者《なにもの》なのか？
そして今《いま》 それは私《わたし》自《じ》身《しん》の悲《ひ》願《がん》でもある
天《てん》使《し》禁《きん》猟《りょう》区《く》
Angel Sanctuary

何《なに》を…何《なに》を申《もう》しておるのだ ウリエルよ
この私《わたし》の名《な》が天使《てんし》の名簿《めいぼ》にないだなどと…！
…いえ 正《ただ》しくは…貴方の名がないのだ
確《たし》かにセヴォフタルタという天使《てんし》は何億《なんおく》というデータの中《なか》に一人《ひとり》だけ存在《そんざい》している
彼《かれ》は目立《めだ》たないながらもST候補生《こうほせい》の一人《ひとり》となり第一次天地大戦《だいいちじてんちたいせん》ではそれなりの戦果《せんか》を上《あ》げていた
だがその大戦《たいせん》で反撃《はんげき》により全滅《ぜんめつ》となった戦《たたか》いでの唯一人《ただひとり》の生《い》き残《のこ》りとなり
そして その時《とき》 顔《かお》と体《からだ》を負傷《ふしょう》し 治療不可能《ちりょうふかのう》な程《ほど》の傷《きず》を隠《かく》すために素顔《すがお》を隠《かく》す様《よう》になったと——

だが 本当《ほんとう》に貴方《あなた》は その傷《きず》のために 素顔《すがお》を隠《かく》して いるのだろうか ——?
ここに一《ひと》つの 疑問《ぎもん》が生《う》まれる
ウリエル …!!
生還後《せいかんご》の貴方《あなた》は 見《み》る間《ま》に頭角《とうかく》を現《あらわ》し 熾天使《セラフィム》となり ついにはメタトロンの 宰相《さいしょう》となり この天界《てんかい》の 影《かげ》の副王《ふくおう》となった
まるで以前《いぜん》とは 別人《べつじん》の様《よう》な出世《しゅっせ》ぶりだが 大戦前《たいせんまえ》の貴方《あなた》を 知《し》る者《もの》も語《かた》る者《もの》もいない
何故《なぜ》なら かつての貴方《あなた》の 過去《かこ》を知《し》る者《もの》は皆《みな》 ことごとく危険《きけん》な任務《にんむ》を 与《あた》えられ死亡《しぼう》している のだから——
セヴォフタルタの 素顔《すがお》を知《し》る者《もの》は この世《よ》には誰《だれ》もいない
調《しら》べれば調《しら》べる程《ほど》 関《かかわ》った者《もの》の不審《ふしん》な死《し》に ぶち当《あ》たる
以前《いぜん》のデータを 消《け》して回《まわ》ったのが 貴方《あなた》だとすれば その意味《いみ》する所《ところ》は
貴方《あなた》はセヴォフタルタ ではないのだ

貴方《あなた》が大戦《たいせん》の時《とき》に死《し》んだセヴォフタルタの名《な》を語《かた》る偽者《にせもの》ならば
亡霊《ぼうれい》に名《な》などあるはずがない
——この裁判《さいばん》は無効《むこう》である！
なっ…
中継《ちゅうけい》を止《と》めてはならん…!! これは重大《じゅうだい》な事実《じじつ》だ
全天使達《ぜんてんしたち》に真実《しんじつ》を伝《つた》えねばならん
し…しかし…！

責任《せきにん》は
この私《わたし》が持《も》つ!!
ははい!
ザワ
ザワ
ザワ
ウリエル…!
あっ…
自分《じぶん》の能力《のうりょく》を拒否《きょひ》して声《こえ》を封《ふう》じたハズだつたが…
離《はな》せよ
何《なに》を考《かんが》えてんのかわかんない奴《やつ》だつたが…これで前回《ぜんかい》の貸《か》しはチャラにしてやるぜ
…ウリエルよ…!!
長《なが》い事《こと》無断《むだん》でその座《ざ》を放棄《ほうき》してきたお前《まえ》の言葉《ことば》など どれ程《ほど》の信憑性《しんぴょうせい》があると思《おも》うか…!
この…この私《わたし》が死《し》んだセヴォフタルタという名《な》の天使《てんし》になりすました偽物《にせもの》という証拠《しょうこ》はあるのか!?

では この男《おとこ》を… 御存知《ごぞんじ》ですか?
誰《だれ》だ? あれ…
見《み》た事《こと》もない 天使《てんし》だ…
さあ…
…知《し》らぬ…!
こんな男《おとこ》は 見《み》た事《こと》もない
本当《ほんとう》に見《み》た事《こと》が ありませんか よく考《かんが》えて…
くどいわ!! こんな男《おとこ》に 見覚《みおぼ》えなどない
そうですか…
実《じつ》はこれは…

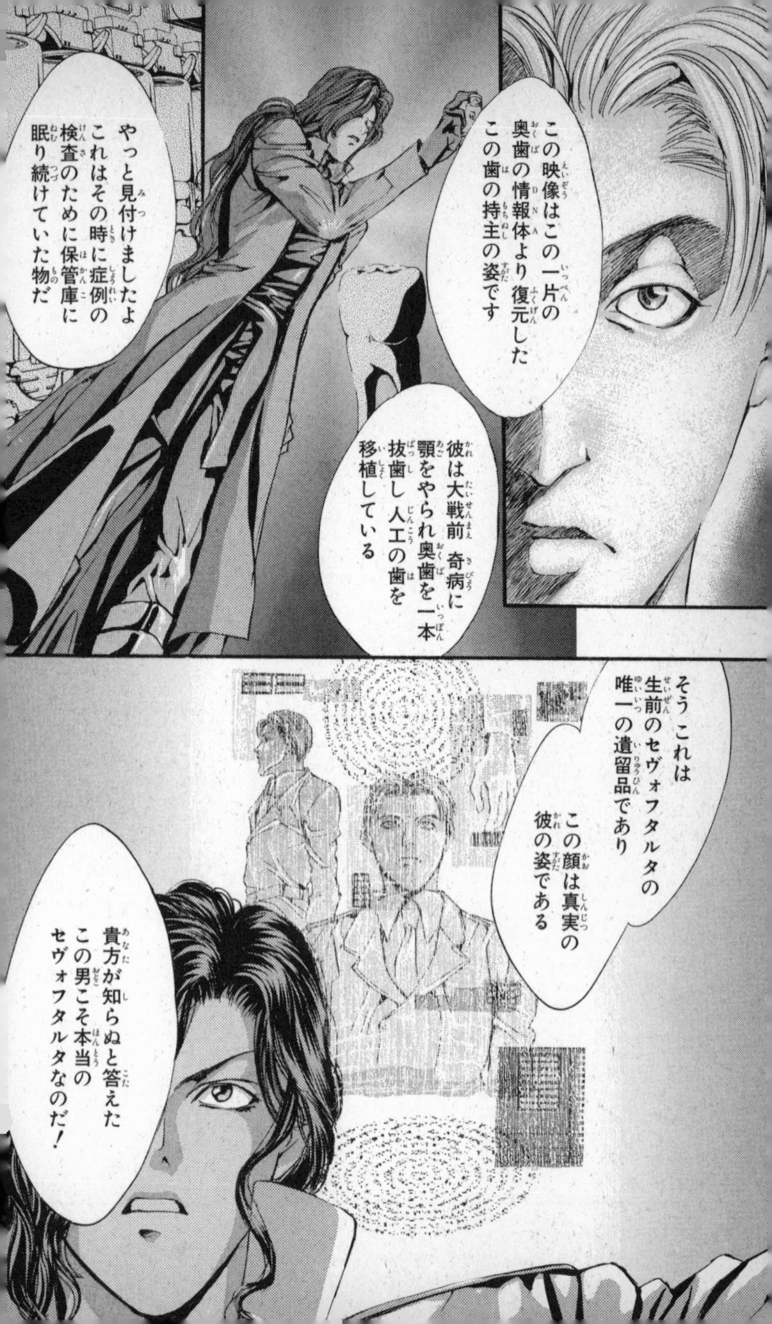
この映像《えいぞう》はこの一片《いっぺん》の
奥歯《おくば》の情報体《DNA》より復元《ふくげん》した
この歯《は》の持主《もちぬし》の姿《すがた》です
彼《かれ》は大戦前《たいせんまえ》 奇病《きびょう》に
顎《あご》をやられ奥歯《おくば》を一本《いっぽん》
抜歯《ばっし》し人工《じんこう》の歯《は》を
移植《いしょく》している
やっと見付《みつ》けましたよ
これはその時《とき》に症例《しょうれい》の
検査《けんさ》のために保管庫《ほかんこ》に
眠《ねむ》り続《つづ》けていた物《もの》だ
そう これは
生前《せいぜん》のセヴォフタルタの
唯一《ゆいいつ》の遺留品《いりゅうひん》であり
この顔《かお》は真実《しんじつ》の
彼《かれ》の姿《すがた》である
貴方《あなた》が知《し》らぬと答《こた》えた
この男《おとこ》こそ本当《ほんとう》の
セヴォフタルタなのだ！

あ…!!
みんなの前《まえ》で答《こた》えるべきよセヴォフタルタ!
紗羅《さら》ちゃ…
ざわっ
ラフィー君《くん》を脅《おど》して偽証《ぎしょう》させたり 私《わたし》に裁判《さいばん》で声《こえ》を出《だ》せない様《よう》に薬《くすり》を飲《の》ませたりした事《こと》も!!
ちゃんとみんなの前《まえ》で告白《こくはく》してみなさいよ!
ピクッ
黙《だま》れ…!
黙《だま》れ 小娘《こむすめ》がァ…!!

ギッ
ラフィー君《くん》……!
!
ザザッ

UFOキャッチャーにハマってるんです。今頃。んで、今、部屋中ぬいぐるみだらけ。すごく出来のいいリアルでプリチーな動物シリーズがあってそれいっぱい集めてました。あとたれパンダやらプリンちゃんやらミッフィーやらetc…実は、ものすごい数。時計とかオルゴールとかスウォッチ、ポーチとか香水…安くないものまで取れると楽しくて大分ムダ使いしてますよ…金もったいねぇ…。うーと。UFOキャッチャーばっかりある夢のよーなゲーセンってないですかねー。都内で。欲しいのしか取らないからあんまり場所なくって。あ、ぬいぐるみ好きって訳じゃなくて自分で取るから好きなんです。

よく見ると子供の手があってキモイ絵です。

お前達《まえたち》は本当《ほんとう》に自分達《じぶんたち》で考《かんが》える事《こと》も出来《でき》ないおもちゃの兵隊《トーイソルジャー》になり下《さ》がっちまったのか
ジブリール…いや無道紗羅《むどうさら》の言葉《ことば》に嘘偽《うそいつわ》りを感《かん》じたか？
お前《まえ》らは真実《しんじつ》を見付《みつ》ける心《こころ》も失《うしな》っちまった人形《ガラクタ》だったのかよ
ラフィー君《くん》…!!
そうだ…強《つよ》く慈悲深《じひぶか》かったあのジブリール様《さま》が生《う》まれ変《か》わったとしてもその心根《こころね》まで変《か》えてしまうはずがない
皆《みな》心《こころ》は同《おな》じだただ権力《けんりょく》に脅《おび》え右《みぎ》に倣《なら》えをしていた臆病者《おくびょうもの》なだけ…
何《なん》という事《こと》だ誇《ほこ》り高《たか》い天使《てんし》の理想《りそう》を我々《われわれ》は自《みずか》らの手《て》で貶《おとし》めていたとは
ジブリール様《さま》やラファエル様《さま》そしてウリエル様《さま》までが勇気《ゆうき》を持《も》って立《た》ち上《あ》がって下《くだ》さったのだ…!!

ラファエル様《さま》とジブリール様《さま》を解放《かいほう》しろ!!
そうだ!!
ジブリール様《さま》の口《くち》を封《ふう》じようとしたのは本当《ほんとう》ですか!?
この裁判《さいばん》は無効《むこう》だ!!
宰相《さいしょう》!! 全天使《ぜんてんし》の見《み》ている前《まえ》で真実《しんじつ》を告《つ》げろ!
ヴィーーン
!
カチッ
カチッ
まさかっ…!! まだ映像《えいぞう》を天界中《てんかいじゅう》に流《なが》しているというのか!?
ばかなっ…!!!
この事《こと》が全天使《ぜんてんし》の目《め》に…!!!

なんて事《こと》だ!!!
くそう…このままじゃ手《て》も足《あし》も出《で》ねえ…!!
ふふふ…
そういう事《こと》だね
御覧《ごらん》よ刹那《せつな》
君《きみ》の罪深《つみぶか》い恋人《こいびと》を…!
ほら…こんな状況《じょうきょう》だからこそ芽生《めば》える思《おも》いもあるとは思《おも》わない?
少《すく》なくとも…ラファエルは本気《ほんき》だよ彼《かれ》にしては珍《めずら》しく…ね
く…
君《きみ》はこのまま黙《だま》って見《み》てるがいいよ僕《ぼく》の右目《みぎめ》でね
…るな

てめえの思《おも》い通《どお》りになんかさせねぇ…
俺《おれ》は…
俺《おれ》は お前《まえ》に殺《ころ》された奴《やつ》らの血《ち》に誓《ちか》ったんだ…!!
はっ
救世使《きゅうせいし》!?
どんなに血《ち》ヘドを吐《は》いたって…たとえ片目《かため》を失《うしな》ったって…
おい!!? 何《なに》を…
てめえをこの手《て》でぶっ殺《ころ》すまでどんな事《こと》をしてでも

ロシエル様《さま》？
逃《に》げた…？
この僕《ぼく》の呪縛《じゅばく》から…！
刹那《せつな》…
僕《ぼく》をその手《て》で殺《ころ》す…だって…？
ふ…
ふっふ…
光栄《こうえい》だ
楽《たの》しみにしてるよ
刹那《せつな》…！
！

救《きゅう》…世《せい》…
使《し》ィ…！
これで…いい
亜空間《あくうかん》も解《と》けた…

七支刀《ナナツサヤ》…
…よし
…行《い》くぞ
行《い》くぞって…
てめぇ その体《からだ》で!?
あいつ《ロシエル》を
追《お》い出《だ》すには
これしかなかった
からだ!!
急《いそ》ぐぞ!!!
もう 遊《あそ》んでる
時間《じかん》はねぇんだ!!

裁《さば》きの城《しろ》へ!!
宰相《さいしょう》!! 一言《ひとこと》でも言明《げんめい》すべきだ
そうだ!! 何《なん》とか言《い》え!! 本当《ほんとう》にジブリール様《さま》の口《くち》を封《ふう》じ ラファエル様《さま》に偽証《ぎしょう》させたのか?
貴方《あなた》が何者《なにもの》かわからない内《うち》はこの裁判《さいばん》を進《すす》めるわけにはいかないぞ
何《なん》という卑怯《ひきょう》な…!!!

何《なん》とか言《い》ったらどうなんだ!?
なんだ その目《め》は…怖《こわ》い? 俺達《おれたち》が怖《こわ》いっていうのかよ
違《ちが》う… こんな場面《ばめん》に出会《であ》った事《こと》なんて一度《いちど》もない
さぁ 俺達《おれたち》に抗議《こうぎ》してみろよ
あの自慢《じまん》の声《こえ》で!!
こんな事《こと》が私《わたし》の身《み》に起《お》こるわけがない…私《わたし》? あの女《おんな》が私《わたし》?
もう歌《うた》なんか歌《うた》えねぇようにしてやるよ
悲鳴《ひめい》すらも上《あ》げられねぇように!!!

ゴウン
ゴウン
ゴウン
これで5番目《ばんめ》の封印《ふういん》が解《と》けた…
次《つぎ》のパスワードを入力《にゅうりょく》して
ピ
ゴウン
その調子《ちょうし》だよ メタトロン…
警告《けいこく》します 当機《とうき》は戦闘《せんとう》メルカバ 禁止区域《きんしくいき》に侵入《しんにゅう》しています
これ以上《いじょう》 聖域《サンクチュアリ》の上空侵犯《じょうくうしんぱん》を犯《おか》すならば警法《けいほう》により撃墜《げきつい》します
繰《く》り返《かえ》し警告《けいこく》しま…
ブチッ
あ〜〜っ ちくしょう!! やるとなったら徹底的《てっていてき》にやるぜ!

大丈夫《だいじょうぶ》だよメタトロン…
ここからちゃんと僕《ぼく》を出《だ》してくれたらジブリールは君《きみ》にあげる
僕《ぼく》は…セヴォフタルタが欲《ほ》しいんだ
だから二人《ふたり》で分《わ》けようね…
僕《ぼく》ら…双子《ふたご》の兄弟《きょうだい》だものね…

サンダルフォン…!!
その生《い》き物《もの》の形《かたち》は
危険《デンジャー》 危険《デンジャー》
これは最終警報《さいしゅうけいほう》です
「第七《だいなな》の封印《ふういん》」が解除《かいじょ》されました
館内《かんない》にいる全《すべ》ての者《もの》は
プレート外《がい》へ退避《たいひ》
またはシェルターへ避難《ひなん》して下《くだ》さい
ギュイーン
ギュン
ドクン
熾《おこ》れる炭《すみ》の炎《ほのお》の如《ごと》く松明《たいまつ》の如《ごと》し
危険《デンジャー》 危険《デンジャー》
「第七《だいなな》の封印《ふういん》」が解除《かいじょ》されました

ドドドド
此彼《ここかしこ》に行《い》き 雷光《いなびかり》いず 畏懼《おそろし》かりしその面《おもて》 燦然《さんぜん》と無数《むすう》の遍《あまね》く目《め》あり
その黄金色《おうごんしょく》の玉《たま》の如《ごと》しその生物《せいぶつ》に手足《てあし》はなく 6枚《まい》の輝《かがや》ける羽《はね》を頭部《とうぶ》より生《は》やし
裁《さば》きの城《しろ》へ突《つ》っ込《こ》むぞ
摑《つか》まってろ
救世使《きゅうせいし》——っ!!!

やめろっ…!!
あの女《おんな》は私《わたし》じゃないっ…!!!
ああ災《わざわ》いだ 災《わざわ》いだ
胎《たい》動《どう》

やっと見《み》付《つ》けたよ
——ライラ

おぎゃあ
僕《ぼく》を産《う》んでくれる
美《うつく》しい人《ひと》

ォ
うわああ

一体《いったい》…何《なに》が…
起《お》こった…のだ…?
確《たし》か…赤《あか》ん坊《ぼう》の泣《な》き声《ごえ》が…
!
カラン…
マスクが…!!!
な…なんとした事《こと》か…!

…あんた…
まさ…か…！
天使禁猟区⑮／おわり

ANGELIC VOICE.

あと、よくお手紙にありますがよゆーでまだ私のイラスト集「ANGEL CAGE」は手に入ります。ぜひ大きな書店で御注文して下さい。「もう刷ってない」と言われたという方々、それはまちがいです。別の本屋にレッツGO!っす。天禁ドラマCDやHCD「カフカ」もやはしレコード店で注文した方が手に入りますよ。はい。がんばって下さい。

そうそう、今年から白泉社の方でやってるHCDというのがありまして、私の未完の作品であるカインシリーズの「カフカ」を、ドラマCD化した物が発売されてます。天禁のCDとたまたま時期が似かよいましたが。そんで、カインやってたのって何年も前なもんでカインシリーズの短編を天禁と2本立てでやりましたわさ。またいやあP少なかったからアレだけど絵が…知らんうちに変わりまくってってねえ。あったり前か。それにしてもカインファン恐るべし!!ってな反響でした。初めてカイン見た人達も、昔からのファンの人達も、CDの方も…! 私はキャストやっぱりよくわかんなかったんだけど、けっこー大丈夫でしたね、みんなの反応が。「カインがセクシー♡」って意見が多くて…。…てなわけでカインのCD第2弾が出るそーです。よろしくですね。前巻のザフィケルの死でいろいろ感じて下さった方々、お手紙ありがとうございます。吉良の死にショック受けた方々も…それからいつも私に元気をくれる皆様方、由貴はいつも感謝しながらありがたーくお手紙、読んでますよ、全部。最近はプリクラはってあるのが多いので出した人の顔がわかったりします。天禁の手作り ビンセンもあるし..いつも書いてる気がしますが天禁も大分佳境に入ってます。1999年7月はすぎ去ってしまいますが、これから何巻か、またおつきあい下さいませ。とにかくもー毎日毎日…がんばってますので…!! また会いましょう。では。

…TO BE CONTINU

《収録作品メモ》
●天使禁猟区⑮　平成11年　花とゆめ　3，5～9号掲載
●ATOGAKI　描きおろし

花とゆめCOMICS
天使禁猟区⑮

1999年8月25日　第1刷発行

著　者　由貴香織里

発行人　甘利博正

発行所　株式会社　白泉社
〒101-0063
東京都千代田区神田淡路町2－2－2
電話・編集　03(3526)8025
販売　03(3526)8010
業務　03(3526)8020

印刷所　図書印刷株式会社

ISBN4-592-12851-6
Printed in Japan　HAKUSENSHA